改訂3版

イラスト解説だから、
はじめてでもわかる

簿記の教科書 1年生

税理士 宇田川 敏正

新星出版社

はじめに

簿記とはそもそもなんなのでしょうか？　私たちはなぜ簿記を学ぶのでしょうか？

現在使われている簿記のルーツは、15世紀末に出版されたイタリアの書物の中に確認することができます。時は大航海時代の資本主義の幕開け。複式簿記と呼ばれるこの画期的な記帳方法は、またたく間に世界中に伝わり、19世紀には人類最高の発明といわれるグローバルスタンダードとなりました。つまり、簿記を学ぶということは、世界共通の言語を学ぶことと同じであり、人類の営みを知ることなのです。

私たちがこれから学ぶ複式簿記は、会計上の単なる実務の一つではありません。その目的は、会社の財産がどれだけあるかを把握し、一年間にどれくらいもうかったかを正確に知ることです。また、簿記の最終目的である決算書を見れば、経営の問題点や改善すべき点がわかるので、経営判断の重要な材料にもなります。

ともあれ、あなたは今日から簿記を学び始めます。500年以上の歴史をもつ簿記の勉強を通じて、それぞれが職場でスキルアップを図り、より広い視野をもって人生の目標を定めていただければ、それ以上の喜びはありません。

宇田川 敏正

Contents

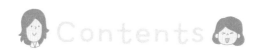

Contents

PART 3 決算のしくみ

デザイン・装丁・DTP ＝田中律子
DTP ＝田中由美
イラスト＝ Bikke
編集協力＝村瀬航太
有限会社 クラップス

ちょっとごあいさつ

あ〜、どうしよう……。「簿記をおぼえるぞ！」なんて、みんなの前で宣言してみたものの、**自信がないんです**。だって私、学生の頃から**数字が大の苦手**だったんですから……。

大丈夫よ。これから一緒にこの本を読み進めていけば、**簿記のキホン**は必ず身につくわ。

本当ですか？　でも、心配だなー。私、何を始めても**長続きしないんですよ**。ヨガもピラティスもひと月でやめてしまったし、スポーツジムも夏本番が来る前に挫折してしまったんですよ。

簿記はね、勉強じゃなくて、**ゲームのルールをおぼえるようなものなの**。簿記の目的をしっかり理解して、楽しみながら一つひとつ吸収していけば、**いつのまにか簿記をマスター**できるわ。

わ、わかりました。先輩の言葉を信じて、挑戦してみたいと思います。ところで、簿記のレッスンを始める前に、何か**用意しておくもの**ってありますか？

とくにはないけれど、机の上に**使い慣れた電卓**を置いておくといいわね。これから購入する人は、**12桁の電卓がおすすめ**よ。それから**付せん**。わかりづらいと思った箇所に印をつけておけば、後で復習をするときにとても便利なの。

電卓ですか……。やっぱり**数字がたくさん出てくる**んですね……。

心配しないで。今は**パソコンの経理ソフトが普及**しているから、複雑な計算をする場面はほとんどないの。「**仕訳**」という**簿記のルール**をおぼえてしまえば、実際の現場で、すぐにその知識をいかせるはずよ。

とにかく、がんばってみます……。

案ずるより産むが易し。さっそくページをめくって、新しい世界に飛び込んでみましょう。

新井まどか　高知いくみ

PROLOGUE
簿記のキホン

簿記ってなんだ？

簿記とは“帳簿記入”の略であり、企業の経営活動を帳簿に記録するためのルールです。家計簿をつけて家計を管理するように、会社ではお金やモノの動きを複式簿記といわれる方法で記録して、会社の経営活動を把握します。

簿記の種類　～単式簿記と複式簿記

簿記には単式簿記と複式簿記の2種類の記入方法があります。この本で学ぶのは、企業で利用されている複式簿記の記入方法ですが、お小遣い帳や家計簿に代表される単式簿記とくらべながら、複式簿記でつけることの意味を理解しましょう。

★単式簿記

単式簿記は、お小遣い帳や家計簿のように、入ってくるお金（＝収入）と出ていったお金（＝支出）を記録する方式です。月末に収入と支出の差額を計算することで、現金の残高を把握することができます。

しかし、この方法では、現金の残高を知ることはできても、水道光熱費の総額や普通預金の残高などは、項目を拾い上げて計算しないとわかりません。

単式簿記は、お小遣い帳や
家計簿のようなものよ。

	〔支 出〕		〔収 入〕	
4月2日	ガ ス	3,000円		
4月5日	洋 服	5,700円		
4月6日	電 話	9,000円		
4月8日	電 気	6,000円		
4月10日			仕送り	30,000円
4月12日	映 画	1,500円		
4月17日	水 道	4,500円		
4月19日	デート	8,800円		
4月25日			バイト代	90,000円
4月26日	飲み会	4,000円		
4月29日	貯 金	10,000円		
4月30日	家 賃	55,000円		
4月の合計		107,500円		120,000円

※4月末の現金残高
120,000円(収入合計)－107,500円(支出合計)＝12,500円

収入と支出の差額を計算すれば、月末の現金残高がわかります。

お小遣い帳や家計簿では、どんなお金がいくら出ていったのか(入ってきたのか)を記録しますよね。

KEY WORD

日商簿記検定とは?
日本商工会議所および各地商工会議所が実施する検定試験。1級合格者は税理士試験の受験資格が得られ、2級合格者以上は就職や転職の際のアピールになります。

★複式簿記

複式簿記は、一つの取引を借方（左側）と貸方（右側）に記録する方法です。取引の内容は勘定科目という項目で表され、その増減が借方か貸方のいずれかに記入されます（この本では、わかりやすくするために、原因と結果に分けて説明しています）。

たとえば、電話代（通信費といいます）9,000円を現金で支払った場合を考えてみましょう。この取引は、現金という資産が9,000円減ったという結果と、その原因として通信費という費用が9,000円発生したという事柄に分けることができます。

つまり、複式簿記では取引の原因と結果を同時に把握することができるので、帳簿を見れば、月末の現金残高だけではなく、どのような取引によって現金が増減したかもわかるというわけです。

先ほどのお小遣い帳を、企業の取引に置き換えて借方と貸方に分けると、次のようになります。

	〔借　方〕		〔貸　方〕	
4月2日	水道光熱費	3,000円	現　金	3,000円
4月5日	備　品	5,700円	現　金	5,700円
4月6日	通信費	9,000円	現　金	9,000円
4月8日	水道光熱費	6,000円	現　金	6,000円
4月10日	現　金	30,000円	雑収入	30,000円
4月12日	福利厚生費	1,500円	現　金	1,500円
4月17日	水道光熱費	4,500円	現　金	4,500円
4月19日	接待交際費	8,800円	現　金	8,800円
4月25日	現　金	90,000円	売　上	90,000円
4月26日	接待交際費	4,000円	現　金	4,000円
4月29日	普通預金	10,000円	現　金	10,000円
4月30日	支払家賃	55,000円	現　金	55,000円

借方と貸方に分けて記入することを仕訳と呼ぶのよ。

9,000円の現金が減ったという結果と、その原因として9,000円の電話代（勘定科目は「通信費」）を支払ったということが、それぞれ貸方と借方に示されています。

90,000円の現金が増えたという結果と、その原因として90,000円のバイト代（勘定科目は「売上」）を受け取ったということが、それぞれ借方と貸方に示されています。

複式簿記は、会社の家計簿なんです。

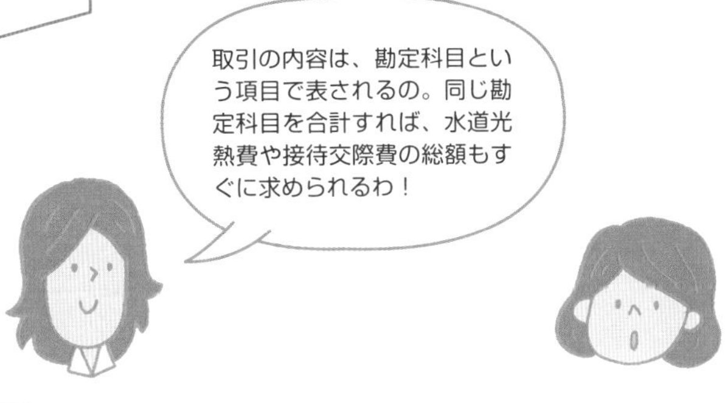
取引の内容は、勘定科目という項目で表されるの。同じ勘定科目を合計すれば、水道光熱費や接待交際費の総額もすぐに求められるわ！

KEY WORD

取引とは？

簿記でいうところの取引とは、会社の財産が増えたり、減ったりすること。お金や商品などが動いていなければ取引にはなりません。

カンタンな仕訳をやってみよう

一つの取引を原因と結果に分けたら、それぞれを適切な勘定科目に当てはめて、帳簿の借方（左）と貸方（右）に記入します。経理の現場ではこの一連の作業を、“仕訳をする”または“仕訳をきる”などといいます。ここではカンタンな取引を例にあげて仕訳を説明します。

一つの取引を原因と結果に分ける

複式簿記では、一つの取引を原因と結果に分けて、帳簿に記入します。帳簿の左右の欄は、借方と貸方と呼ばれ、それぞれ原因と結果の説明にふさわしい勘定科目という項目の名前と金額が入ります。

このような作業を仕訳といいます。

言葉ではなかなか理解しにくいと思うので、100円のノートを買ったときの仕訳を例にあげて説明しましょう。

この取引では、「現金100円を支払った」という結果と、その原因として「100円のノートを手に入れた」ことが、それぞれ現金と消耗品費という勘定科目に仕訳され、帳簿の左右の欄に記入されています。

例）100円のノートを現金で買ったとき

	借方		貸方	
4/1	消耗品費	100	現　金	100

仕訳をするタイミングは、お金やモノが動いたとき。帳簿には取引が発生した日付を記入します。

ノートを買ったという原因は、借方に記入されます。このときに使われる勘定科目は、消耗品費です。

現金が支払われたという結果は、貸方に記入されます。このときに使われる勘定科目は、現金です。

ポイント 一つの取引の中で、借方と貸方の合計金額は必ず一致します。仕訳では、金額に「円」や「¥」をつけません。

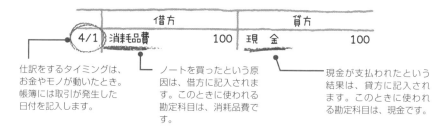

次は、20,000円の商品を現金で売ったときの仕訳です。

この取引では、「現金20,000円を受け取った」という結果と、その原因として「20,000円の商品を売り上げた」ということが、それぞれ現金と売上という勘定科目に仕訳されます。

例）20,000円の商品を現金で売ったとき

	借方		貸方	
5/1	現　金	20,000	売上	20,000

現金を受け取った（＝現金が増えた）という結果は、借方。その原因となる売上は、貸方に記入されます。

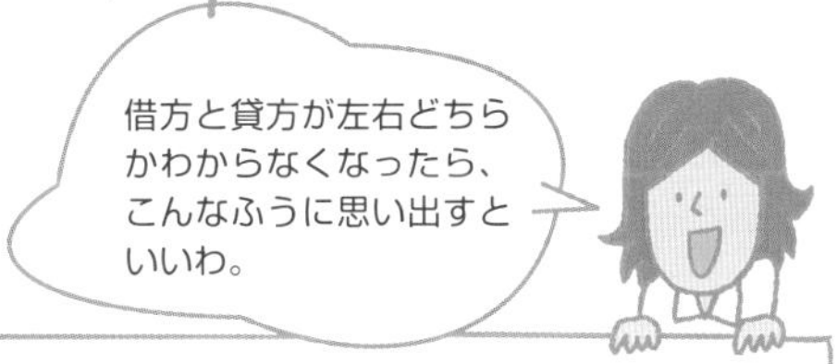
借方と貸方が左右どちらかわからなくなったら、こんなふうに思い出すといいわ。

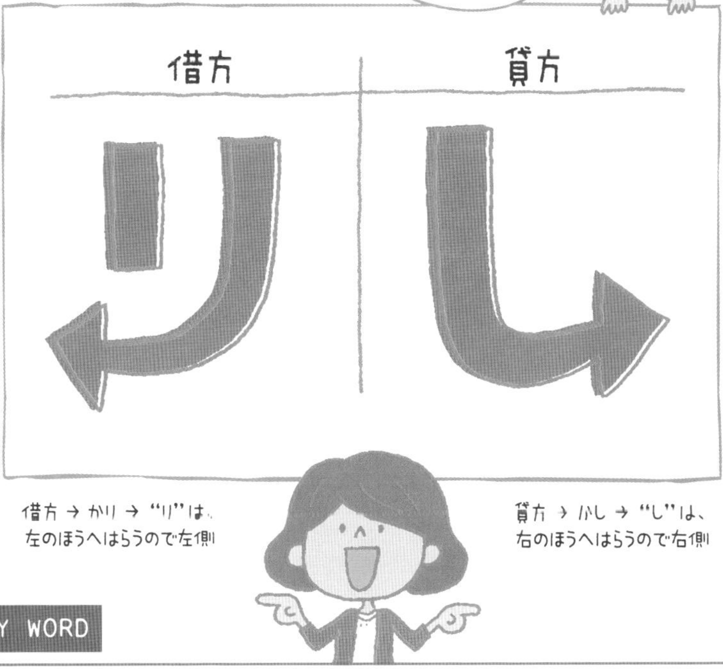
借方
貸方
借方 → かり → "リ"は、左のほうへはらうので左側
貸方 → かし → "し"は、右のほうへはらうので右側

KEY WORD

勘定科目とは？　仕訳のときに用いる取引の名称です。たとえば、電車賃は旅費交通費、電話代は通信費という勘定科目で処理されます。

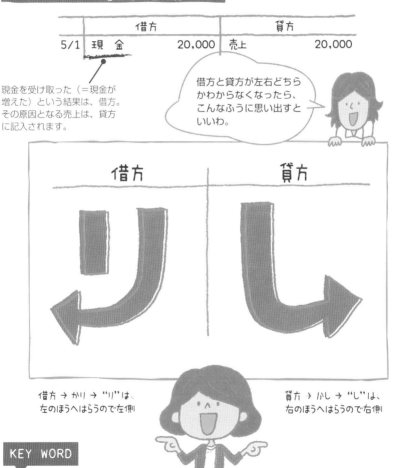

簿記の最終目的とは？

簿記の最終的な目的は、会社のもうけと財産を集計すること。1年間の経営成績と、財政状態を明らかにすることです。会社は一定の時期が終わったら、勘定科目をグループごとに集計し、決算書と呼ばれる貸借対照表と損益計算書を作成します。

勘定科目の5つのグループ

勘定科目は、資産、負債、純資産、収益、費用という5つのグループに分類されます。それぞれはグループごとに集計され、決算書を作成するための要素となります。

［資産］
現金、普通預金、売掛金など、会社の財産になるもの

［負債］
買掛金や借入金など、会社の借金（債務）にあたるもの

［純資産］
資本金など、会社の資本にあたるもの（＝資産と負債の差額）

［収益］
売上や受取利息など、入ってきたお金（＝会社の財産を増やすもの）

［費用］
仕入や給与、広告宣伝費など、使ったお金（＝収益を上げるために使った原価や経費）

各グループに属するおもな勘定科目については、16ページ以降で紹介するわね。

貸借対照表や損益計算書を作成する

決算書と呼ばれるものの中で、もっとも重要な書類が貸借対照表と損益計算書です。

5つのグループのうち、資産・負債・純資産は貸借対照表に、収益と費用は損益計算書に表されます。

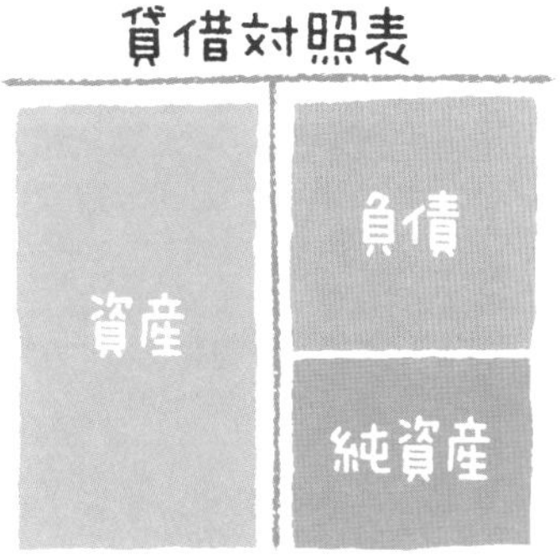

貸借対照表は、会社に財産がいくらあるのかがわかる書類です。資産・負債・純資産のグループに属する勘定科目の残高が、一覧表としてまとまっています。

貸借対照表に記録されているのは、会社の財政状態。1年の経営活動を終えた時点で、会社に財産がいくらあるのかを知ることができるの。

損益計算書は、企業の経営成績や利益（損失）を明らかにするためのもの。これを見れば、会社が1年間でどのくらいの利益を得たかがわかるわ。

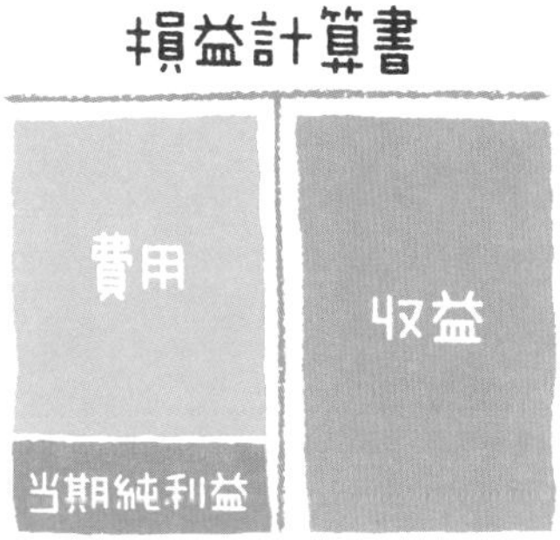

損益計算書は、1年間に会社がどれだけもうけたかがわかる書類です。収益と費用、そしてその差額となる当期純利益（または当期純損失）が示されています。

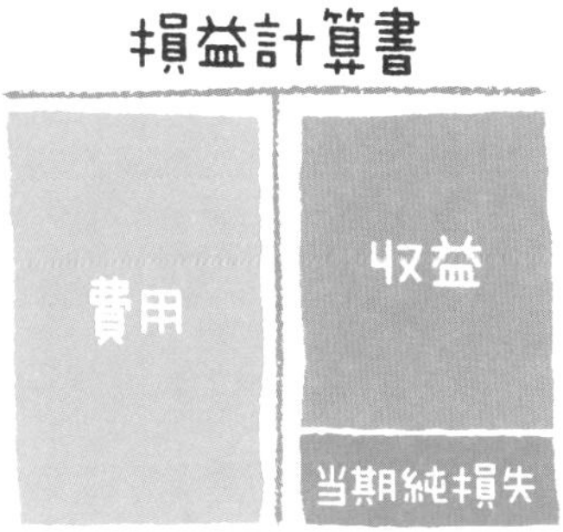

なるほど！　簿記の最終的なゴールは貸借対照表や損益計算書などをつくることなんですね。

勘定科目をおぼえよう

仕訳を行うには、勘定科目の意味を正確に理解しなければなりません。100を超えるともいわれている勘定科目ですが、本書の中で取り上げているのは一般的な業務でよく使われているものが中心です。名称や使い方は会社によって異なる場合があるので、職場のルールにしたがってください。

[資産グループのおもな勘定科目]

資産とは、カンタンにいえば、会社の財産になるもの。現金や預金のほか、将来回収する予定の売掛金や受取手形などの債権もふくまれます。このグループに属する勘定科目の仕訳は、増加したら借方（左）へ、減少したら貸方（右）へ記入します。

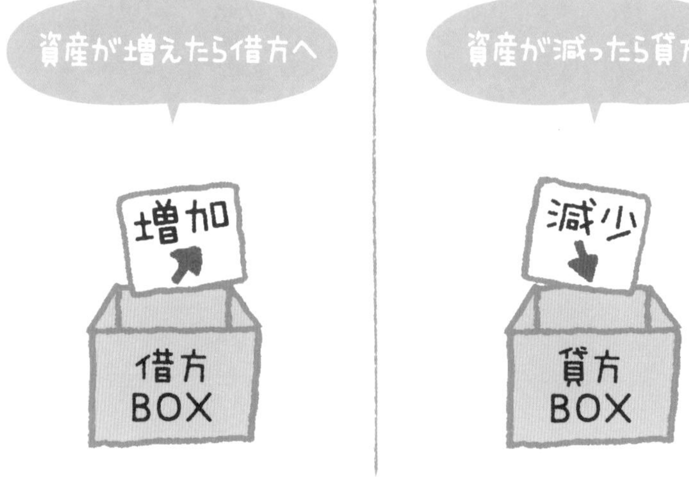
資産が増えたら借方へ
増加
借方
BOX
資産が減ったら貸方へ
減少
貸方
BOX

ポイント

勘定科目の分類は法律によって厳格に決められているわけではありません。その名称も会社によって違う場合もありますが、決算書などを見る人たちにわかりやすいように、一定のルールにしたがって継続的に同じ名称を使用しましょう。

現金（げんきん） 仕訳例 ▶ 036ページ・048ページ・050ページ
紙幣や硬貨などの通貨。他人が振り出した小切手など

小口現金（こぐちげんきん） 仕訳例 ▶ 110ページ
小口の経費の支払いに備えて、手元に用意しておく少額の現金

普通預金（ふつうよきん） 仕訳例 ▶ 036ページ・042ページ
銀行などの金融機関に預け入れているお金

当座預金（とうざよきん） 仕訳例 ▶ 044ページ・046ページ
手形などの決済に使う会社用の銀行口座

売掛金（うりかけきん） 仕訳例 ▶ 040ページ
本業の商品やサービスを掛けで売ったときの債権

受取手形（うけとりてがた） 仕訳例 ▶ 044ページ
商品を売ったり、サービスを提供したときに受け取った手形

未収金（みしゅうきん）
社屋や不動産など、本業以外のモノを掛けで売ったときの債権

有価証券（ゆうかしょうけん） 仕訳例 ▶ 054ページ・056ページ
売買目的で一時的に保有する株式、国債、社債など

貸付金（かしつけきん） 仕訳例 ▶ 050ページ
取引先や従業員に現金を貸し付けたときの債権

仮払金（かりばらいきん） 仕訳例 ▶ 092ページ
出張や接待の際に、会社が従業員に前もって渡すまとまったお金

仮払税金（かりばらいぜいきん）
株の配当金や預金の利息を受け取るときに差し引かれる税金を処理するもの

建物（たてもの）
事業用の事務所、倉庫、店舗など

車両運搬具（しゃりょううんぱんぐ）
営業用の乗用車や輸送用のトラックなど

備品（びひん） 仕訳例 ▶ 052ページ
使用可能な期間が1年以上で、取得価額が10万円以上のもの。
例）事務机、応接セット、コンピューター

土地（とち）
建物や駐車場、資材置き場などの土地

[負債グループのおもな勘定科目]

資産がプラスの財産だとしたら、負債はマイナスの財産。銀行などから借り入れる借入金以外にも、商品を掛けで仕入れた場合の買掛金など、後日支払わなければならない債務もふくまれます。負債のグループの仕訳では、減少したら借方（左）へ、増加したら貸方（右）へ記入するとおぼえましょう。

負債が減ったら借方へ
減少
借方
BOX
負債が増えたら貸方へ
増加
貸方
BOX

買掛金（かいかけきん）	仕訳例 ▶ 058ページ・060ページ
本業で売るための商品や原材料などを掛けで買ったときの債務	
支払手形（しはらいてがた）	仕訳例 ▶ 062ページ
代金を支払うために振り出した手形	
前受金（まえうけきん）	
手付金や内金など、商品を渡すよりも前に受け取っている代金	
未払金（みばらいきん）	仕訳例 ▶ 066ページ
本業にかかわる商品やサービス以外のモノを掛けで買ったときの債務	
預り金（あずかりきん）	仕訳例 ▶ 068ページ・112ページ
従業員から一時的に預かっている源泉所得税や社会保険料など	
借入金（かりいれきん）	仕訳例 ▶ 064ページ
金融機関や取引先などからお金を借りたときの債務	
仮受金（かりうけきん）	
入金の理由がわからないときに、一時的に利用される仮の勘定科目	
未払配当金（みばらいはいとうきん）	仕訳例 ▶ 074ページ
株主への配当金の未払いを管理するための勘定科目	

[純資産グループのおもな勘定科目]

純資産とは、会社の資本にあたるもの。つまり、会社を設立したときの出資金や、その後に得た利益の蓄積をいいます。純資産は、資産から負債を引いた額と一致。仕訳では、純資産が減少したら借方（左）へ、増加したら貸方（右）へ記入します。

資本金（しほんきん） 仕訳例 ▶ 070ページ・072ページ
会社を設立したときの出資金

資本準備金（しほんじゅんびきん） 仕訳例 ▶ 072ページ
会社設立などの際の出資金のうち、資本金に組み込まなかったもの

利益準備金（りえきじゅんびきん） 仕訳例 ▶ 074ページ
積み立てることが法律で義務づけられている準備金

繰越利益剰余金（くりこしりえきじょうよきん） 仕訳例 ▶ 074ページ
前期から繰り越された会社の利益

［収益グループのおもな勘定科目］

経営活動の結果、資産の増加をもたらす項目を収益といいます（お金が入ってくる理由を示しています）。仕訳では、収益が上がったら貸方（右）へ、返品や値引きなどの理由によって収益の減少があったときは借方（左）へ記入します。

返品などによって減少があったら借方へ
減少
借方BOX
収益が上がったら貸方へ
発生
貸方BOX

■**売上**（うりあげ）	仕訳例▶078ページ・082ページ	本業の商品の販売やサービスの提供によって顧客から受け取る収益
■**受取利息**（うけとりりそく）	仕訳例▶080ページ	預金、貯金、貸付金から得た利息
■**受取手数料**（うけとりてすうりょう）		商品やサービスを提供することによって得た手数料
■**受取家賃**（うけとりやちん）	仕訳例▶084ページ	建物を貸して得た収入
■**受取地代**（うけとりちだい）		土地を貸して得た収入
■**受取配当金**（うけとりはいとうきん）	仕訳例▶086ページ	他の会社に出資して得た株式の配当金など
■**有価証券売却益**（ゆうかしょうけんばいきゃくえき）	仕訳例▶056ページ	有価証券を売却した際に発生した利益
■**雑収入**（ざつしゅうにゅう）		現金過不足や還付金の払い戻しなど、本業以外の取引から生じる少額の収益

［費用グループのおもな勘定科目］

経営活動の結果、資産の減少をもたらす項目を費用といいます。このグループに属する勘定科目は、収益とは反対に、お金が出ていった理由を示すものであり、細かく分けられた項目によって、お金の使い道が明らかにされています。仕訳では、費用が発生したら借方（左）へ、減少したら貸方（右）へ記入します。

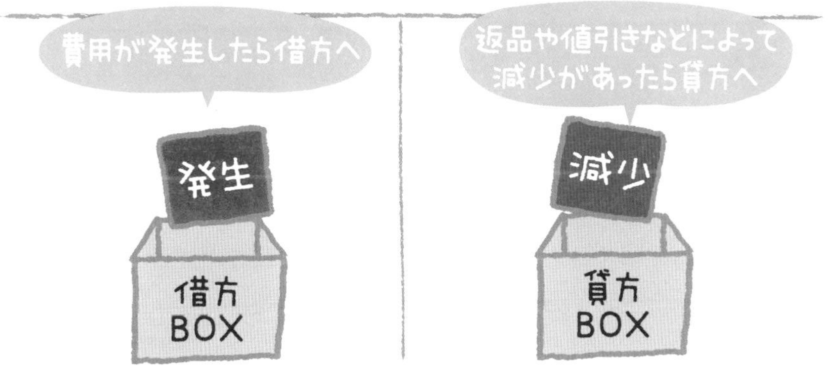
費用が発生したら借方へ
発生
借方
BOX
返品や値引きなどによって
減少があったら貸方へ
減少
貸方
BOX

仕入（しいれ） 仕訳例 ▶ 088ページ・118ページ
販売目的の商品や原材料を購入するのに要した費用

給与（きゅうよ） 仕訳例 ▶ 112ページ
従業員に支払われる給料や諸手当

雑給（ざっきゅう）
アルバイトやパートなどの非正規社員に支払われる給料や諸手当

賞与（しょうよ）
ボーナスなどの一時金

退職金（たいしょくきん）
従業員や役員が退職する際に支払われる一時金

役員報酬（やくいんほうしゅう）
取締役や監査役などに支払われる報酬

役員賞与（やくいんしょうよ）
取締役や監査役などに支払われる賞与

法定福利費（ほうていふくりひ） 仕訳例 ▶ 114ページ
会社負担の社会保険料（健康保険や厚生年金保険）や労働保険料（雇用保険と労災保険）など

福利厚生費（ふくりこうせいひ）　仕訳例▶108ページ
社員旅行や忘年会など、従業員の福利厚生のための費用

発送費（はっそうひ）
商品の荷造や配送にかかる費用

旅費交通費（りょひこうつうひ）　仕訳例▶090ページ
通勤や業務遂行のために必要な交通費、出張の際の宿泊費、出張手当など

通信費（つうしんひ）　仕訳例▶098ページ
電話料金や郵便切手代、宅配便、バイク便など、通信にかかった費用

接待交際費（せったいこうさいひ）　仕訳例▶094ページ
得意先との接待や贈答などにかかる費用

会議費（かいぎひ）　仕訳例▶096ページ
社内外で行われる会議や打ち合わせに関連した費用

消耗品費（しょうもうひんひ）　仕訳例▶104ページ
使用可能期間が1年未満、もしくは取得価額が10万円未満の事務用品や日用雑貨などの費用

修繕費（しゅうぜんひ）
事務用品や備品などの修理や点検にかかる費用

水道光熱費（すいどうこうねつひ）　仕訳例▶102ページ
ガス、水道、電気などの使用料金

広告宣伝費（こうこくせんでんひ）　仕訳例▶106ページ
不特定多数の人に対する広告や宣伝にかかる費用

新聞図書費（しんぶんとしょひ）
業務上必要とされる新聞代、書籍購入代、雑誌購読料など

支払手数料（しはらいてすうりょう）
銀行の振込手数料や、不動産業者に支払う仲介手数料など

支払家賃（しはらいやちん）
建物の賃借料

支払地代（しはらいちだい）
土地の賃借料

支払保険料（しはらいほけんりょう）
生命保険や損害保険などの掛け金

租税公課（そぜいこうか）　仕訳例▶100ページ
印紙税、固定資産税など

諸会費（しょかいひ）
会社の業務に関連する団体に支払う会費や組合費など

寄付金（きふきん）
会社の業務とは関係なく、見返りを求めずに行う金銭や物品の贈与

車両費（しゃりょうひ）
ガソリン代、自動車保険料、車検費用など、自動車の維持管理にかかる費用

減価償却費（げんかしょうきゃくひ） 仕訳例 ▶ 140ページ
クルマや機械装置などの購入費を、使用可能期間に少しずつ計上した費用

雑費（ざっぴ）
他のどの勘定科目にも当てはまらない、一時的な少額の費用

支払利息（しはらいりそく） 仕訳例 ▶ 116ページ
借入金にかかる利息

有価証券売却損（ゆうかしょうけんばいきゃくそん） 仕訳例 ▶ 057ページ
有価証券を売却した際に発生した損失

雑損失（ざつそんしつ）
現金過不足や盗難による損失など、本業以外の取引から生じる少額の損失

法人税等（ほうじんぜいとう）
法人税、法人住民税、法人事業税など

Topics

仕訳ルールのおさらい

勘定科目はどのグループに属するかによって、借方と貸方のどちらに記入するかが決まっています。ここではこれまでのおさらいとして、グループごとに異なる記入のルールを整理して紹介しましょう。このキホンさえしっかり頭に入れておけば、日常的な仕訳業務は完璧です。

グループ	借方	貸方
資産グループ	↗ 増えたら	↘ 減ったら
負債グループ	↘ 減ったら	↗ 増えたら
純資産グループ	↘ 減ったら	↗ 増えたら
収益グループ	↘ 減ったら	↗ 発生したら
費用グループ	↗ 発生したら	↘ 減ったら

このルールさえおぼえてしまえば、誰でもカンタンに仕訳ができるのよ！
現金、普通預金、売掛金など、ふだんよく使われる勘定科目からおぼえるのがコツ。資産グループは、増えたら借方に記入するの。

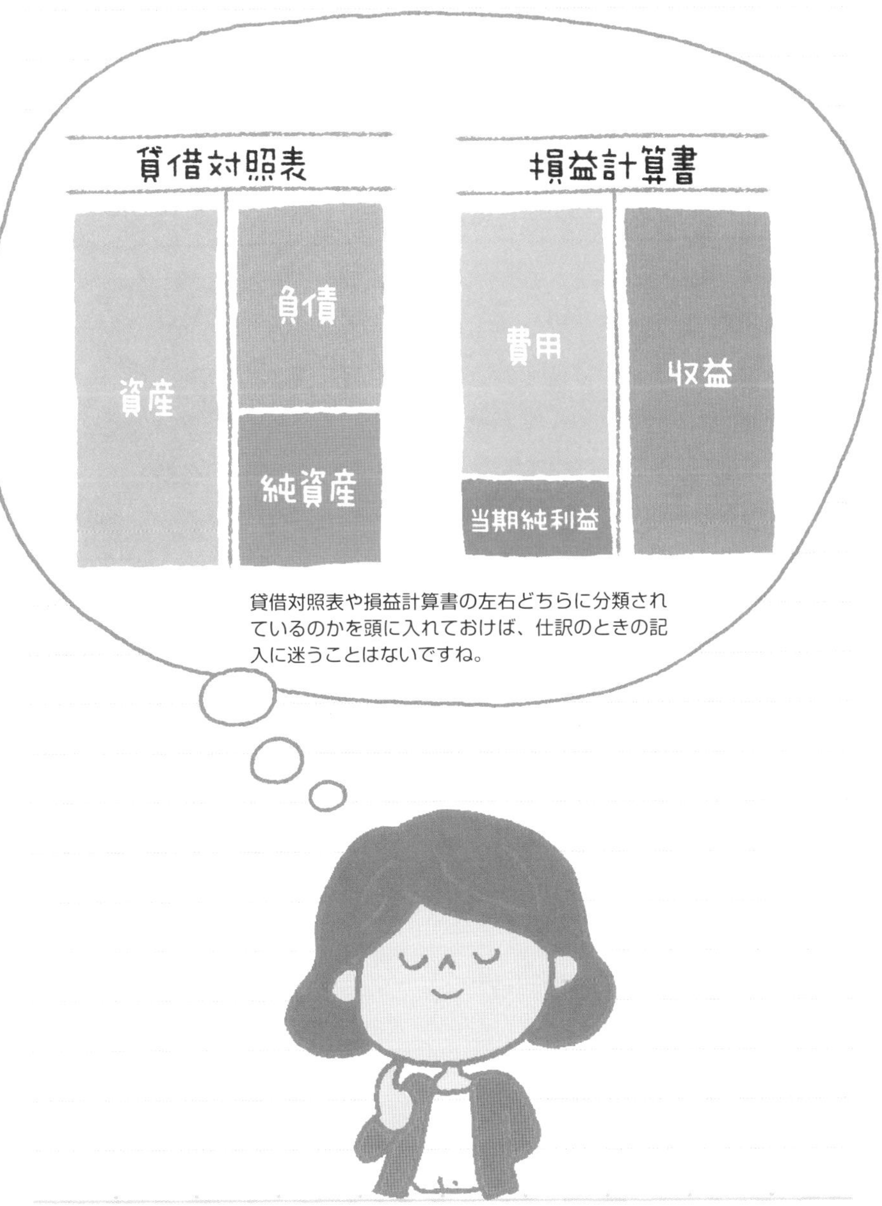
貸借対照表
資産
負債
純資産
損益計算書
費用
当期純利益
収益
貸借対照表や損益計算書の左右どちらに分類されているのかを頭に入れておけば、仕訳のときの記入に迷うことはないですね。

帳簿に記入する

仕訳をした結果は、簿記のルールにしたがって帳簿に記録します。ここに紹介する帳簿は、仕訳帳と総勘定元帳の主要簿と、いくつかの補助簿。とくに主要簿は貸借対照表や損益計算書を作成する上で欠かせない大切な記録となります。

仕訳をしたら仕訳帳に記入し、総勘定元帳などに転記する

すべての取引を発生順に記録した帳簿を仕訳帳、仕訳帳をもとにしてすべての取引を勘定科目別にまとめた帳簿を総勘定元帳といいます。

取引が発生したら、簿記のルールにしたがって仕訳をきり、仕訳帳（または伝票）に記入。次に、その結果を勘定科目ごとに分けて総勘定元帳や補助簿にも記録します。

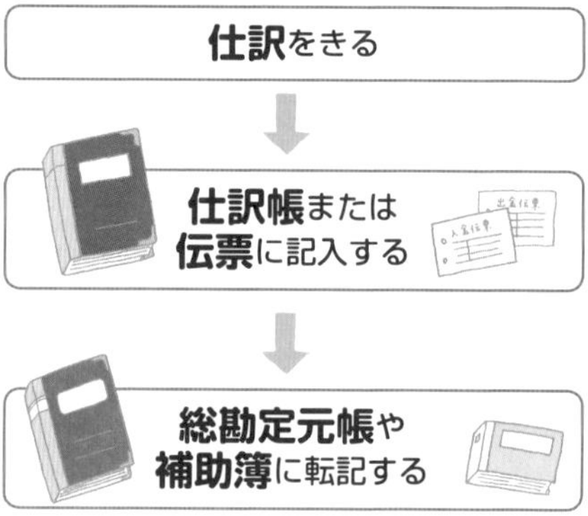
仕訳をきる
仕訳帳または
伝票に記入する
総勘定元帳や
補助簿に転記する

主要簿	・仕訳帳 ・総勘定元帳
補助簿	・現金出納帳 ・預金出納帳 ・小口現金出納帳 ・仕入帳 ・売上帳 ・受取手形記入帳 ・支払手形記入帳 ・商品有高帳 ・買掛金元帳 ・売掛金元帳

仕訳帳と総勘定元帳のことを主要簿といい、主要簿の記録を補うための帳簿を補助簿というの。

ポイント　最近はパソコン会計ソフトが主流なので、総勘定元帳や補助簿への転記は不要。仕訳を画面入力するだけで、必要な帳簿が自動的に作成されます（030ページ参照）。

取引が発生！ 例）100円のノートを現金で買った

↓

❶仕訳をきる

	借方		貸方	
4/1	消耗品費	100	現　金	100

↓

❷仕訳帳に記入する

仕訳帳

日付	摘要	元丁	借方	貸方
4月1日	（消耗品費）		100	
	（現　金）			100
	ノートの購入			

1
4月1日 発生
2
4月8日 発生
3
4月12日 発生
4
4月27日 発生
仕訳帳では、発生した取引を、上から日付順に書き並べていくんですね。

❸総勘定元帳や補助簿に転記する

総勘定元帳

[現　金]

日付	摘要	仕丁	借方	日付	摘要	仕丁	貸方	残高
				4月1日	消耗品費		100	9,900

[消耗品費]

日付	摘要	仕丁	借方	日付	摘要	仕丁	貸方	合計
4月1日	現　金		100					100

補助簿

[現金出納帳]

日付	摘要	科目	収入	支出	残高
4月1日	ノートの購入	消耗品費		100	9,900

現金の総勘定元帳には消耗品費、消耗品費の総勘定元帳には現金と書き入れるんですね。
総勘定元帳は、略して「元帳」とも呼ばれるの。

TOPICS

3伝票制とは？

3伝票制では、すべての取引を現金の出入りをともなう現金取引と、現金の出入りをともなわない振替取引に分類し、さらに現金取引を入金取引と出金取引に分けて処理をします。

使われる伝票は3種類。入金取引は**入金伝票**、出金取引は**出金伝票**、振替取引は**振替伝票**に記入します。

①入金伝票

現金が入ってきたときの取引

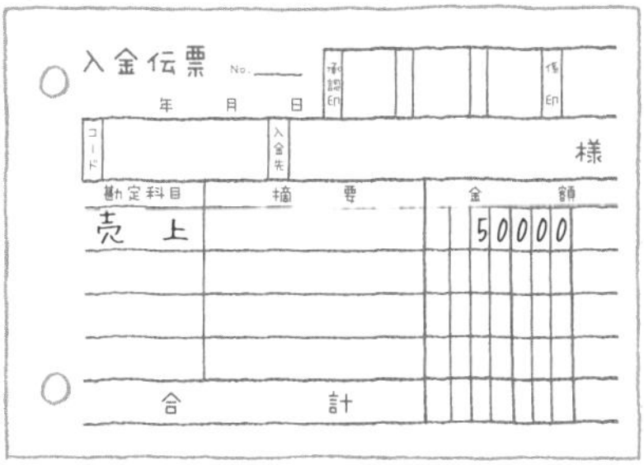

入金伝票
No.
年 月 日
入金先
様
勘定科目
摘要
金額
売上
50000
合計

入金取引では、借方の勘定科目が必ず「現金」になります。したがって、入金伝票には、仕訳帳の貸方に入る勘定科目と金額だけを記入します。

②出金伝票

現金が出ていったときの取引

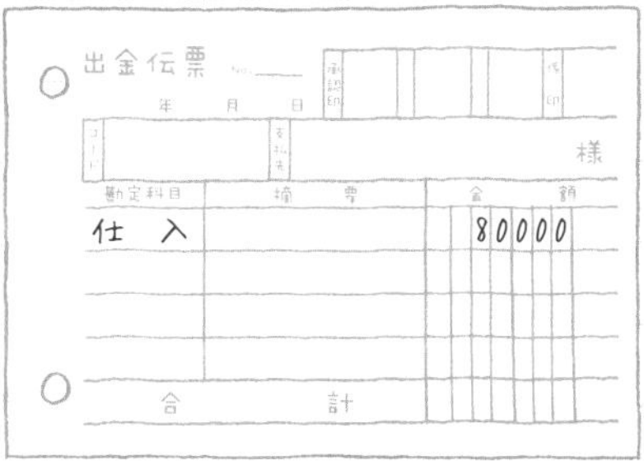

出金伝票
No.
年 月 日
支払先
様
勘定科目
摘要
金額
仕入
80000
合計

出金取引では、貸方の勘定科目が必ず「現金」になります。したがって、出金伝票には、仕訳帳の借方に入る勘定科目と金額だけを記入します。

③振替伝票

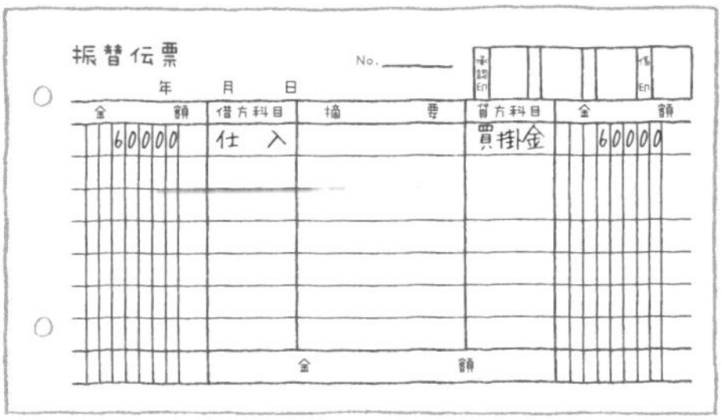

振替伝票
No.
年 月 日
金額
借方科目
摘要
貸方科目
金額
60000
仕入
買掛金
60000
金額

現金の出入りをともなわない取引は、振替伝票に記入します。

振替伝票には、仕訳帳と同様に、借方と貸方の両方の欄があるんですね。

会計ソフトを使って記帳する

現在は、ほとんどの会社で会計ソフトを使って記帳をしています。会計ソフトを利用すれば、あらかじめ用意された勘定科目を選んで金額と摘要を入力するだけで、総勘定元帳や各種の補助簿、決算に必要な書類が自動的に作成されます。

カンタンな入力をするだけで必要な書類が作成される

以前は経理担当者が取引を一つひとつ仕訳し、仕訳帳に起票し、総勘定元帳や補助簿に転記する必要がありました。しかし現在は、ほとんどの会社が会計ソフトを導入していて、勘定科目を選んで金額と摘要を入力するだけで、総勘定元帳をはじめ、現金出納帳などの各種補助簿や決算に必要な書類（試算表：128ページ以降参照）が自動的に作成されます。

たとえば、「売上を現金で受け取った」という取引の情報を会計ソフトの「入金伝票」の画面で入力した場合、「現金出納帳」や「売上帳」にも転記されます。「総勘定元帳」や「仕訳帳」にも転記され、さらには「試算表」にも反映されます。

また、自動的に合計額が計算されるため金額の入力ミスもすぐに判明し、勘定科目の間違いも見つけやすくなっています。さらに消費税額の税率（8%・10%）やインボイス（122ページ以降参照）の処理を行うのもカンタンです。

会計ソフトはセキュリティがしっかりしていて、近年では経費精算と連携しているソフトも多いので、とても効率的よ！

取引が発生！　例）売上を現金で受け取った

↓

❶会計ソフトの「入金伝票」の画面で入力する

入金伝票

日付	11月2日

勘定科目	金額	得意先名	摘要
売上	50,000	○○商会	ハンドソープ@500円×100個

↓

❷総勘定元帳、仕訳帳、現金出納帳、売上帳、試算表などに自動転記される

総勘定元帳

［現金］

日付	相手勘定科目	摘要	借方	貸方	残高
11月2日	売上	○○商会売上 （ハンドソープ@500円×100個）	50,000		50,000

［売上］

日付	相手勘定科目	摘要	借方	貸方	残高
11月2日	現金	○○商会売上 （ハンドソープ@500円×100個）		50,000	50,000

仕訳帳

伝票No.	日付	借方勘定科目	借方金額	貸方勘定科目	貸方金額	摘要
1	11月2日	現金	50,000	売上	50,000	○○商会売上 （ハンドソープ@500円×100個）

現金出納帳

日付	相手勘定科目	摘要	借方	貸方	残高
11月2日	売上	○○商会売上 ハンドソープ@500円×100個	50,000		50,000

売上帳

日付	相手勘定科目	摘要	借方	貸方	残高
11月2日	現金	○○商会売上 ハンドソープ@500円×100個		50,000	50,000

※現金出納帳と売上帳は、総勘定元帳の［現金］や［売上］とほぼ同じ体裁で、会計ソフトにより、項目名が異なることがあります。

Column

【相手科目（相手勘定科目）とは？】

複式簿記では、取引を借方と貸方に分けて記帳することは前に述べました。そのため、一つの取引では、最低でも2つ以上の勘定科目が必要になってきます。一つの勘定科目から見て、反対側にある勘定科目を、相手科目（または相手勘定科目）といいます。

一方の勘定科目から見て、反対側にくる勘定科目を相手科目（または相手勘定科目）といいます。つまり、借方の勘定科目から見たときは貸方の勘定科目が、貸方の勘定科目から見たときは借方の勘定科目が、相手科目になるというわけです。

例）15,000円の商品を掛けで売ったとき

	借方		貸方	
5/9	売掛金	15,000	売　上	15,000

上の例では、売上の相手科目が売掛金となり、売掛金の相手科目が売上となります。

相手科目という言葉は、簿記の用語としてひんぱんに使われるので、おぼえておいてね。
相手科目
よろしくー
相

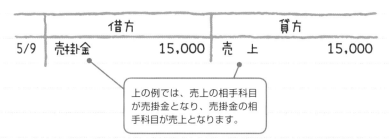

PART 1

資産・負債・純資産の仕訳

貸借対照表の中身を知ろう

PART1では、資産・負債・純資産の各グループに属する、おもな勘定科目の仕訳について具体例をあげて説明します。その前に、貸借対照表の中身についておさらいしましょう。

貸借対照表の借方には資産、貸方には負債と純資産が入ります。資産は会社にとってのプラスの財産、負債は会社にとってのマイナスの財産といえるもので、資産と負債の差額が純資産となります。

借方の資産と、貸方の負債と純資産の合計額は、完全に一致。左右のバランスがとれているので、貸借対照表は、英語でバランスシートといいます。

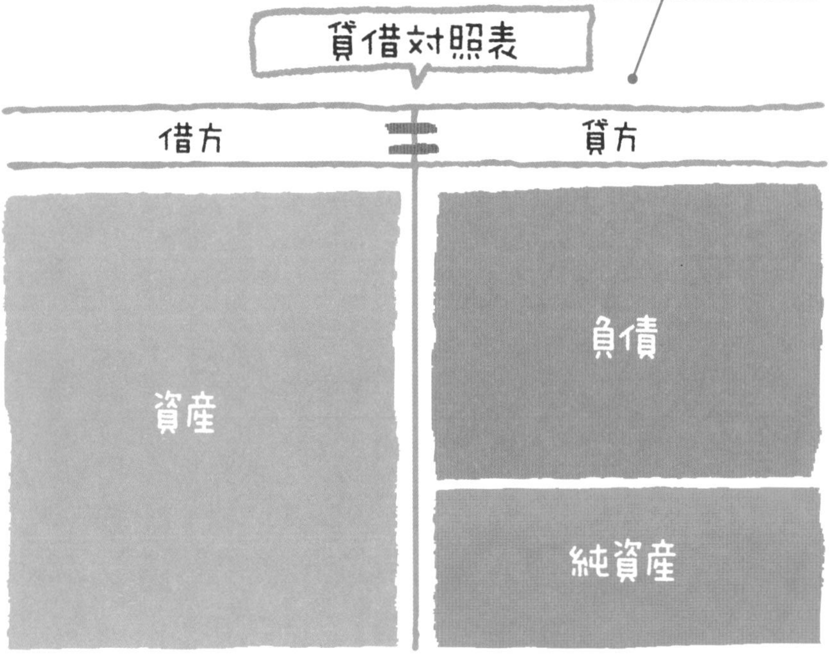

仕訳を行って各グループの勘定科目をグループごとに合計。貸借対照表に表すことで、会社の財政状態が明らかになります。

資産 グループ

プラスの財産
＝
会社の財産になるもの

おもな勘定科目
現金、普通預金、売掛金、受取手形、貸付金、備品、有価証券など

負債 グループ

マイナスの財産
＝
会社の借金（債務）にあたるもの

おもな勘定科目
買掛金、支払手形、借入金、未払金、預り金、仮受金など

純資産 グループ

プラスの財産
＝
会社の資本にあたるもの

おもな勘定科目
資本金、資本準備金、利益準備金、繰越利益剰余金など

それぞれに仕訳

借方BOX　貸方BOX

次のページからは、資産・負債・純資産の勘定科目を使った、仕訳の事例について説明するわね！

資産グループの勘定科目

普通預金

相手科目：現金

①銀行に現金を預けたとき

普通預金は、一般的にもっとも使われることの多い銀行の預金です。個人の普通預金と同じように、ATMなどを使ってお金を預けたり、引き出したり、振り込みをしたりすることができます。

銀行に現金を預け入れたときの仕訳は次のように考えます。

たとえば、手元にあった現金100,000円を銀行に預けた場合、「普通預金が100,000円増えた」という原因によって「現金が100,000円減った」という結果が生じます。このときに使われる勘定科目は、普通預金と現金です。

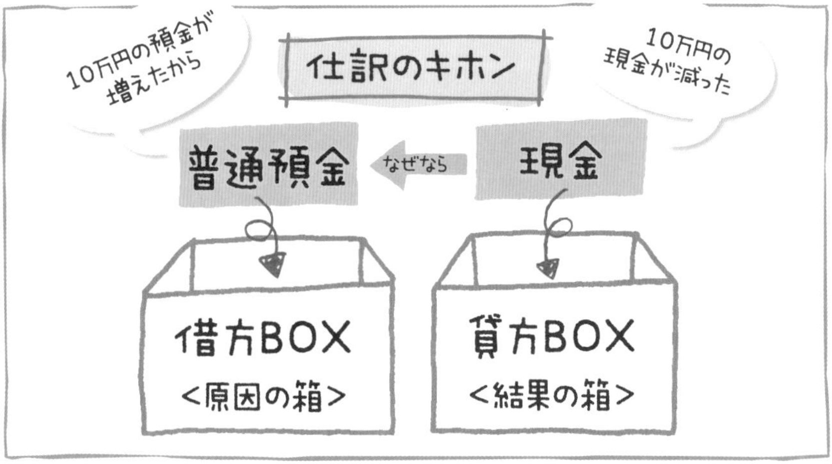

普通預金が増えた	借方	
	増加！	

↓

資産の増加 = 左（借方）に記入

現金も資産グループの勘定科目。手元にあった現金が減ったので、貸方に記入します。

	借方		貸方	
4/2	普通預金	100,000	現　金	100,000

普通預金も現金も、資産グループの勘定科目だから……。

資産は「増えたら借方に、減ったら貸方に」というルールをおぼえておけばカンタンね！

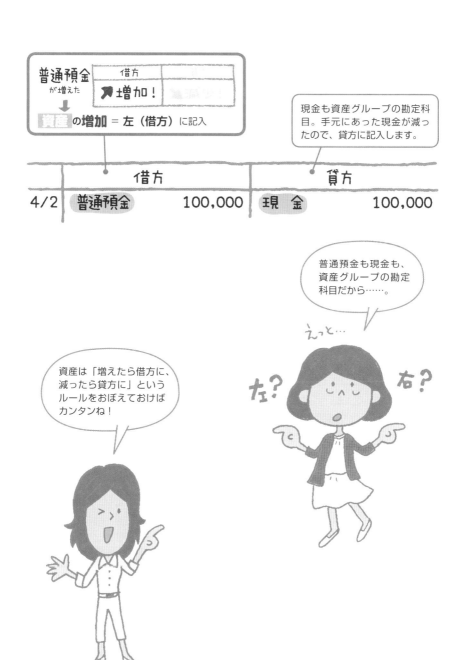

資産グループの勘定科目

現金

相手科目：普通預金

②口座から現金を引き出したとき

紙幣や硬貨などの通貨は、現金という勘定科目を使って処理します。ちなみに、すぐに現金にかえることができる、他人が振り出した小切手などもこれにふくみます（046ページ参照）。

口座から現金を引き出したときの仕訳は次のように考えます。

たとえば、普通預金として銀行に預けていたお金から80,000円を引き出した場合、「普通預金を80,000円引き出した（＝普通預金が80,000円減った）」という原因によって「現金が80,000円増えた」という結果が生じます。このときに使われる勘定科目は、普通預金と現金です。

BANK
預金が減った
現金を引き出した
壱万円

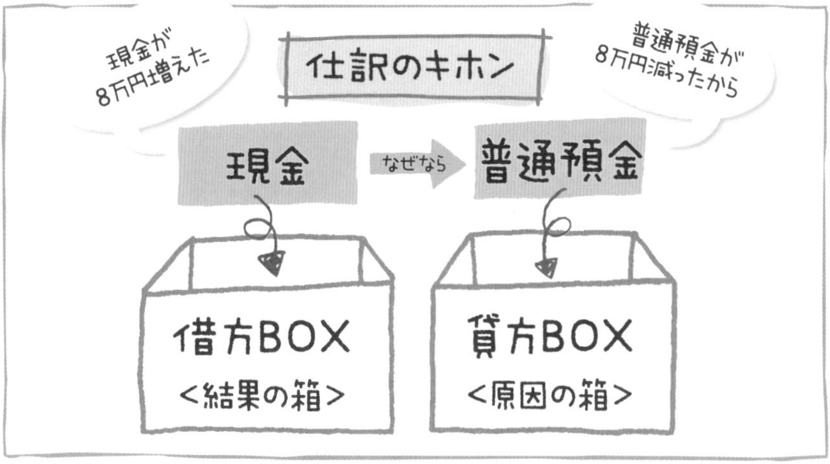
仕訳のキホン
現金が8万円増えた
普通預金が8万円減ったから
現金
なぜなら
普通預金
借方BOX
<結果の箱>
貸方BOX
<原因の箱>

現金
が増えた
↓

借方	
↗**増加！**	

資産の**増加** = **左（借方）**に記入

普通預金も資産グループの勘定科目。普通預金が減ったので、貸方に記入します。

	借方		貸方	
5/9	現　金	80,000	普通預金	80,000

仕訳の日付は、口座から現金を引き出したときです。

現金が増えたら借方に記入するんですね！

簿記では、金庫やレジのお金だけじゃなく、他人が振り出した小切手なども現金として扱うのよ。
小　切　手

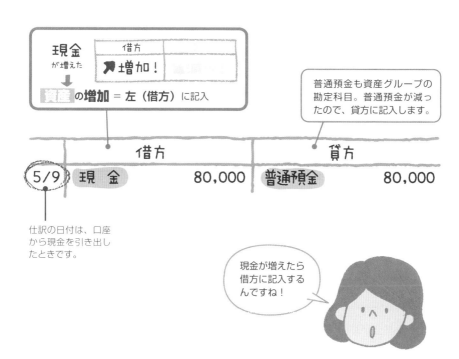

資産グループの勘定科目

売掛金

相手科目：売上

③商品を掛けで売ったとき

商品やサービスを掛けで販売し、後でもらう約束をしているお金は、売掛金という勘定科目で処理します。仕訳をするタイミングは、多くの会社では、商品を取引先に出荷したときです。

商品を掛けで売ったときの仕訳は次のように考えます。

たとえば、30,000円の商品を掛けで売った場合、「30,000円の商品を売り上げた」という原因によって「30,000円の売掛金が発生した」という結果が生じます。このときに使われる勘定科目は、売上と売掛金です。

入金は
これからです
出荷
商品を
売りました

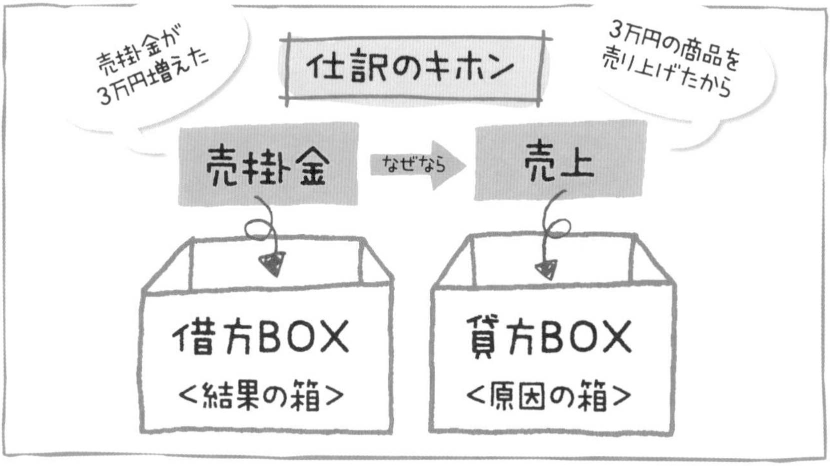
売掛金が
3万円増えた
仕訳のキホン
3万円の商品を
売り上げたから
売掛金
なぜなら
売上
借方BOX
<結果の箱>
貸方BOX
<原因の箱>

売掛金 が増えた

借方	貸方
↗増加！	↘減少！

↓

資産の増加 ＝ **左（借方）** に記入

売上は収益グループに属する勘定科目。売上が発生したら、貸方に記入します。

	借方		貸方	
9/2	売掛金	30,000	売　上	30,000

仕訳の日付は、商品を出荷した日にしている会社が多くなっています。

KEY WORD

売掛金と未収金

本業の商品を掛けで売ったときは売掛金。本業以外のモノを掛けで売ったときは未収金という勘定科目が使われます。

こんなときどうする？

代金の一部を売掛金とした場合

30,000円の売上のうち、20,000円を現金で受け取り、残額を掛けとしたときの仕訳は次のようになります。

	借方		貸方	
9/2	現　金	20,000	売　上	30,000
	売掛金	10,000		

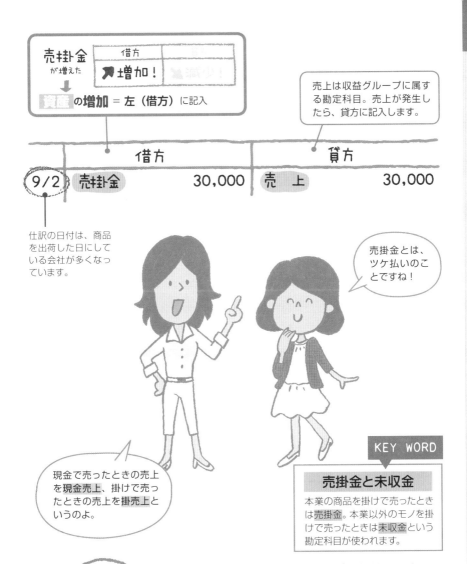

資産グループの勘定科目

普通預金

相手科目：売掛金

④売掛金が口座に振り込まれたとき

売掛金（商品を掛けで売ったときの債権）などは、現金ではなく、銀行振り込みで支払われるのが一般的です。普通預金という勘定科目は、現金同様に資産グループに属します。

売掛金が普通預金の口座に振り込まれたときの仕訳は次のように考えます。

たとえば、100,000円の売掛金を回収した場合、「100,000円の売掛金を回収した（＝売掛金が減った）」という原因によって「普通預金の口座に100,000円が振り込まれた（＝普通預金が増えた）」という結果が生じます。このときに使われる勘定科目は、売掛金と普通預金です。

入金確認！

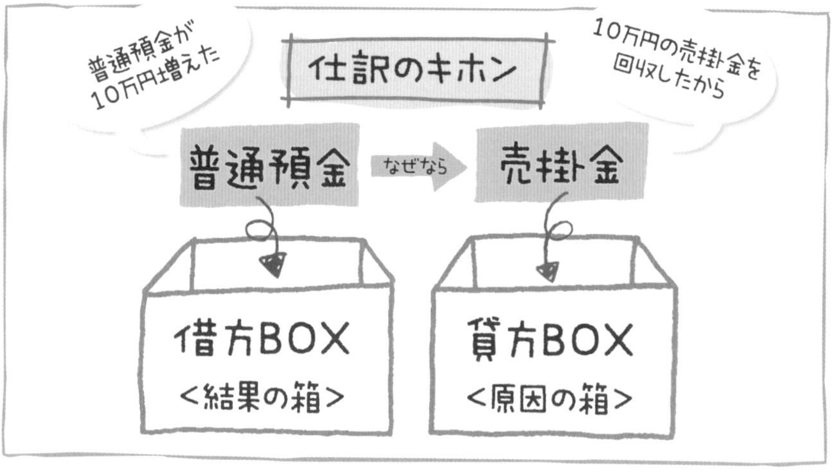
仕訳のキホン
普通預金が
10万円増えた
10万円の売掛金を
回収したから
普通預金
なぜなら
売掛金
借方BOX
<結果の箱>
貸方BOX
<原因の箱>

普通預金
が増えた
↓

借方	
↗増加！	

資産の増加 = 左（借方）に記入

売掛金も資産グループの勘定科目。売掛金が減ったので、貸方に記入します。

	借方		貸方	
6/13	普通預金	100,000	売掛金	100,000

預金口座には、普通預金のほかに、当座預金、定期預金などの種類があるんですよ。

普通預金

個人の普通預金と同じ。銀行のATMなどを使って預金、引き出し、振り込みができます。

当座預金

小切手や手形を振り出すなどの決済をするための銀行口座。利息はつきません。

定期預金

一定期間、預け入れることで、普通預金よりも高い利息を得られます。

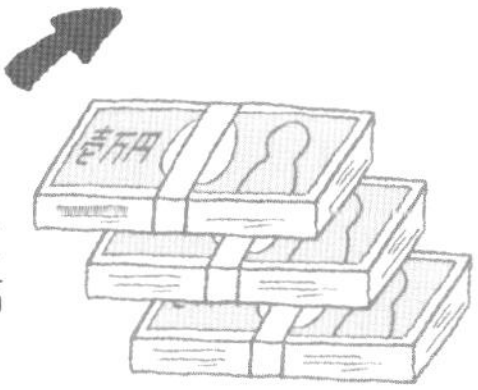

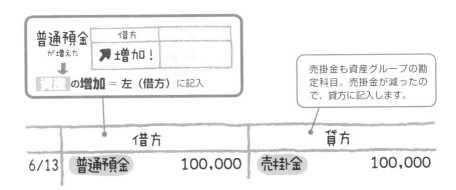

資産グループの勘定科目

受取手形／当座預金

相手科目：売上／受取手形

⑤商品を売って手形を受け取ったとき／手形を現金化したとき

受け取った手形は、受取手形という勘定科目で処理されます。期日がきて、手形を現金化したときの勘定科目は当座預金や普通預金です。

代金を手形で受け取ったとき

商品の売上代金を手形で受け取ったときの仕訳は次のように考えます。

たとえば、200,000円の商品を売って手形を受け取った場合、「200,000円の商品を売り上げた」という原因によって「200,000円の手形を受け取った」という結果が生じます。このときに使われる勘定科目は、売上と受取手形です。

発送

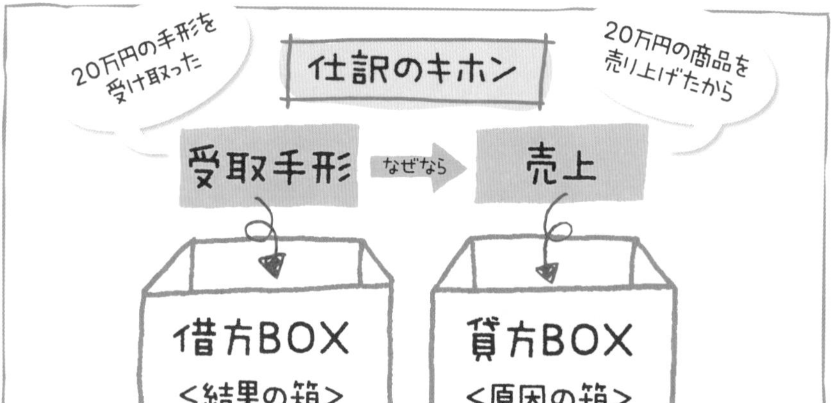
仕訳のキホン
20万円の手形を受け取った
20万円の商品を売り上げたから
受取手形
なぜなら
売上
借方BOX
<結果の箱>
貸方BOX
<原因の箱>

注）商品を発送したときに売掛金として処理し、手形を受け取った段階で受取手形と売掛金の仕訳をする場合もあります。

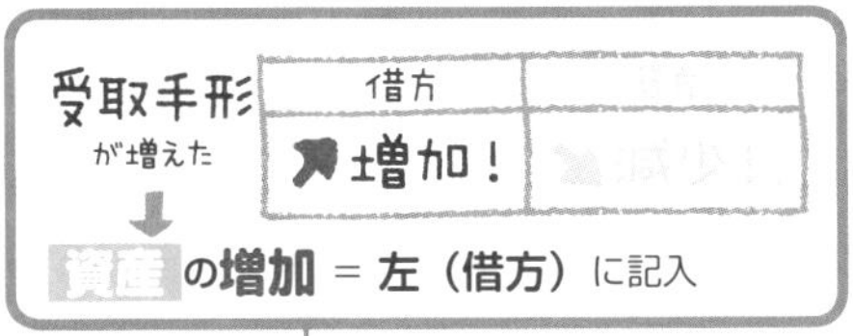

売上は収益グループに属する勘定科目。売上が発生したら、貸方に記入します。

	借方		貸方	
7/21	受取手形	200,000	売　上	200,000

手形を現金にかえたとき

支払期日がきて、手形を現金にかえたときの仕訳は次のとおりです。

この取引では、「200,000円の手形を現金化した（＝手形債権が消滅した）」という原因によって「当座預金が200,000円増えた」という結果が生じます。このときに使われる勘定科目は、受取手形と当座預金です。

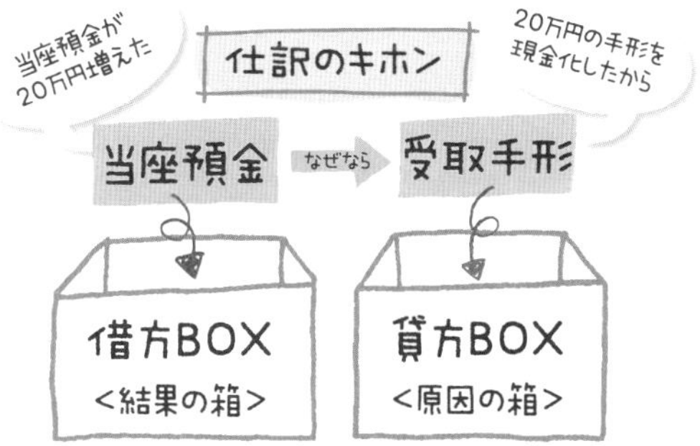

仕訳の日付は、手形に記載された期日になります。

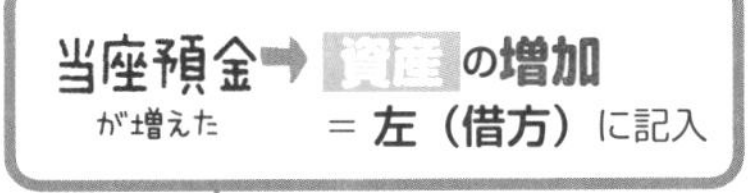

資産である受取手形が減ったので、貸方に記入します。

	借方		貸方	
9/30	当座預金	200,000	受取手形	200,000

※2027年3月末をもって、紙の手形・小切手の廃止が予定されており、それに代わって「電子記録債権」が利用されます。

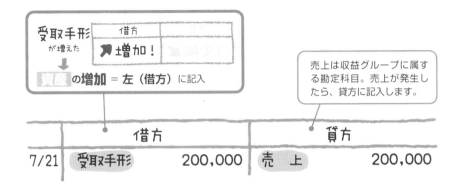

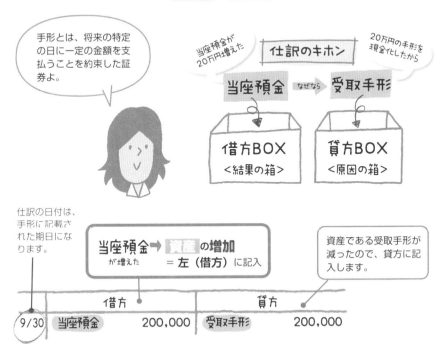

資産グループの勘定科目

当座預金

相手科目：仕入

⑥商品を仕入れて小切手を振り出したとき

小切手とは、作成者が銀行にあてて、受取人に対して一定の金額の支払いを委託する有価証券のこと。小切手で支払うことを「小切手を振り出す」といいます。小切手を振り出したときの勘定科目は当座預金です。

商品を仕入れて小切手を振り出したときの仕訳は次のように考えます。

たとえば、300,000円の商品を仕入れて小切手を振り出した場合、「300,000円の商品を仕入れた」という原因によって「300,000円の当座預金が減った（＝小切手を振り出した）」という結果が生じます。このときに使われる勘定科目は、仕入と当座預金です。

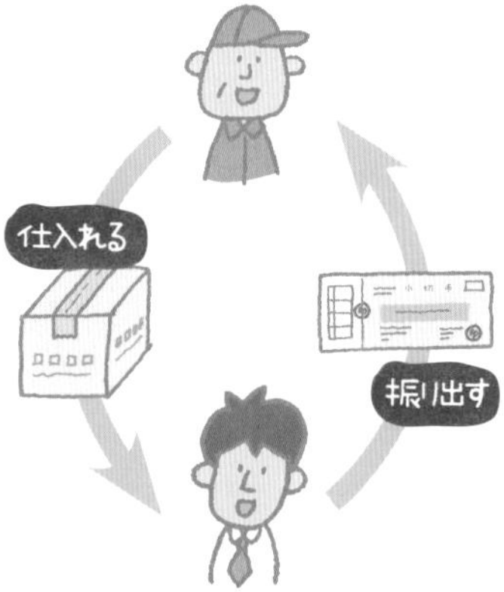

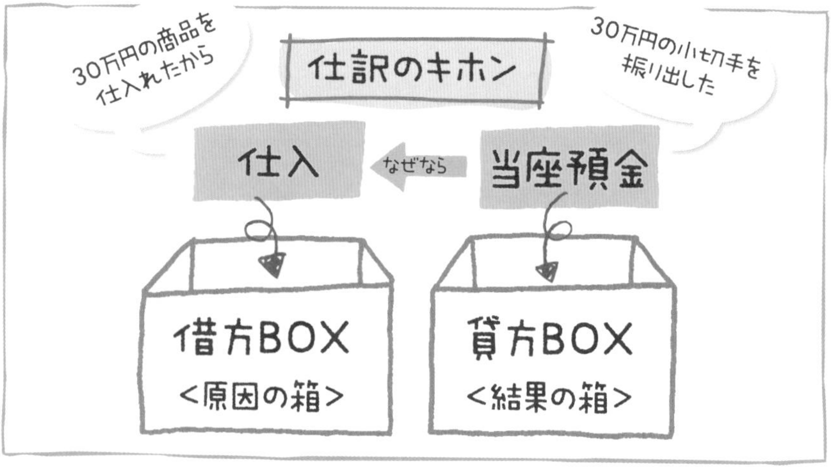

注）商品を仕入れたときに一度、買掛金（058ページ参照）という勘定科目を使う場合もあります。

仕入は費用グループに属する勘定科目。仕入取引を行ったら借方に記入します。

当座預金が減った

借方	貸方
増加！	減少！

↓

資産の減少 = **右（貸方）**に記入

	借方		貸方	
12/8	仕　入	300,000	当座預金	300,000

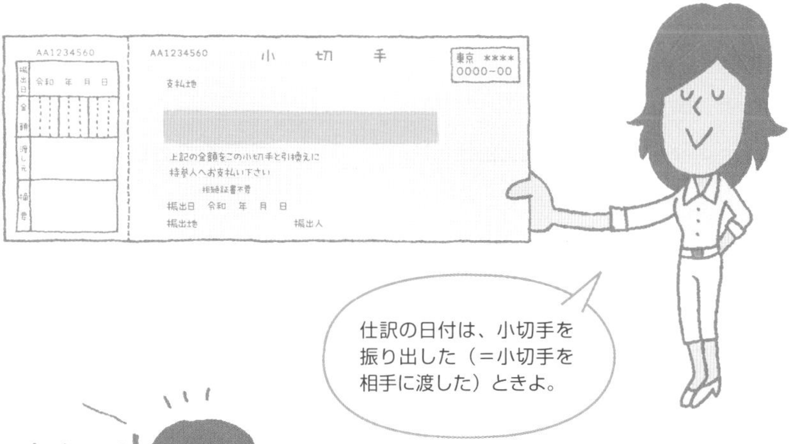

KEY WORD **仕入とは？** 販売目的の商品を購入するのに使った費用のこと。損益計算書では、売上原価という科目で表されます（088ページ参照）。

※2027年3月末をもって、紙の手形・小切手の廃止が予定されており、それに代わって「電子記録債権」が利用されます。

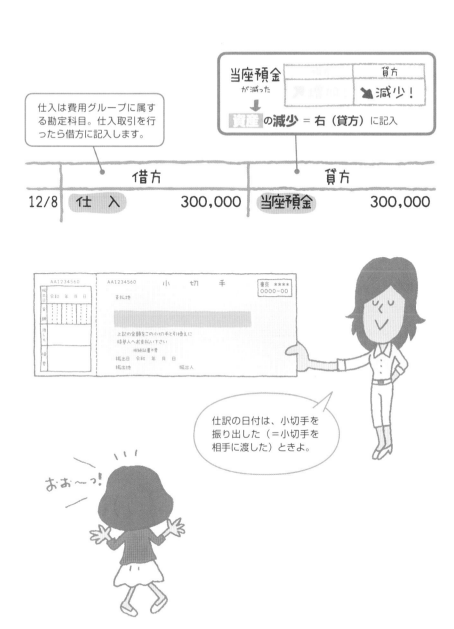

資産グループの勘定科目

現金

相手科目：売上

⑦商品を売り上げて小切手を受け取ったとき

商品を売って小切手を受け取った場合は、現金という勘定科目を使います。他人が振り出した小切手は現金扱いになるので、「小切手を受け取る＝現金が増える」というふうにおぼえましょう。

商品を売って小切手を受け取ったときの仕訳は次のように考えます。

たとえば、売上代金100,000円の商品を売って、同額の小切手を受け取った場合、「100,000円の商品を売り上げた」という原因によって「100,000円の現金が増えた（＝小切手を受け取った）」という結果が生じます。このときに使われる勘定科目は、売上と現金です。

小 切 手
壱万円

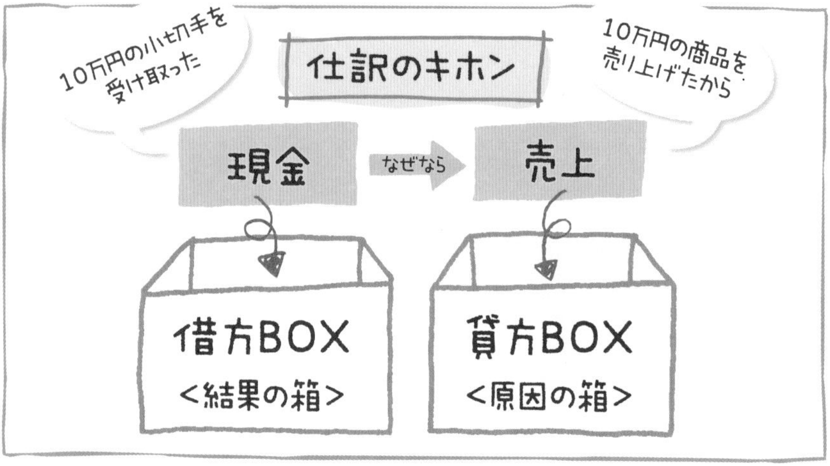

仕訳のキホン
10万円の小切手を受け取った
10万円の商品を売り上げたから
現金
なぜなら
売上
借方BOX
<結果の箱>
貸方BOX
<原因の箱>

現金
が増えた
↓

借方	貸方
↗増加！	↘減少！

資産の増加 ＝ 左（借方） に記入

売上は収益グループに属する勘定科目なので、発生したら貸方に記入します。

	借方		貸方	
1/30	現　金	100,000	売　上	100,000

●小切手を受け取ったら

BANK
現金が
↗増える
壱万円
小　切　手

小切手は、銀行に持っていけばすぐに現金にかえてくれるので、現金で仕訳しておくのよ。

●小切手で支払ったら（＝小切手を振り出したら）

BANK
当座預金が
↘減る

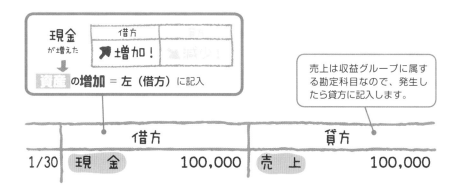

資産グループの勘定科目

貸付金／現金

相手科目：現金／貸付金

⑧取引先に現金を貸し付けたとき／貸付金を回収したとき

取引先や従業員にお金を貸し付けたときは、貸付金という勘定科目を使います。将来に返済が約束された債権なので、資産グループに属します。

現金を貸し付けたとき

取引先に現金を貸し付けたときの仕訳は次のように考えます。

たとえば、1,000,000円の現金を貸し付けた場合、「1,000,000円を貸し付けた」という原因によって「現金が1,000,000円減少した」という結果が生じます。このときに使われる勘定科目は、貸付金と現金です。

わかりました
お金を貸していただけますか

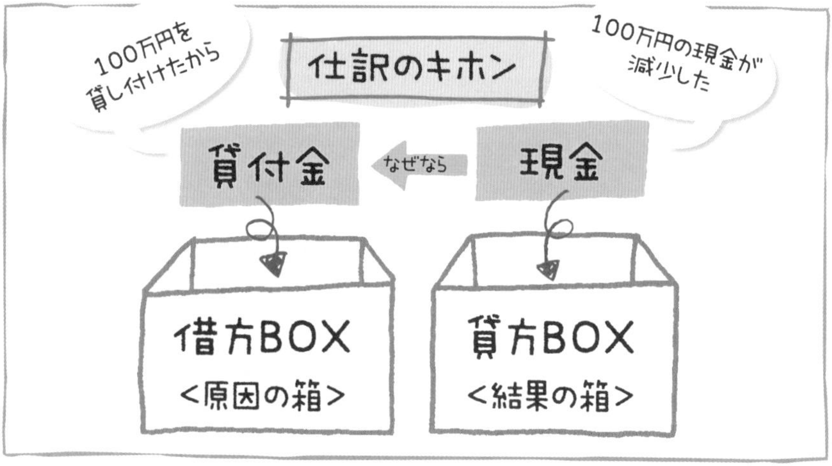

仕訳のキホン
100万円を貸し付けたから
100万円の現金が減少した
貸付金
なぜなら
現金
借方BOX
<原因の箱>
貸方BOX
<結果の箱>

貸付金
が増えた
↓
資産の増加＝**左（借方）**に記入

借方	
増加！	減少！

資産である現金が減ったので、貸方に記入します。

	借方		貸方	
3/3	貸付金	1,000,000	現　金	1,000,000

貸付金を回収したとき

返済日がきて、現金を受け取ったときの仕訳は次のとおりです。

この取引では、「1,000,000円の貸付金が戻ってきた（＝減少した）」という理由によって「現金1,000,000円が増えた」という結果が生じます。このときに使われる勘定科目も、貸付金と現金です。

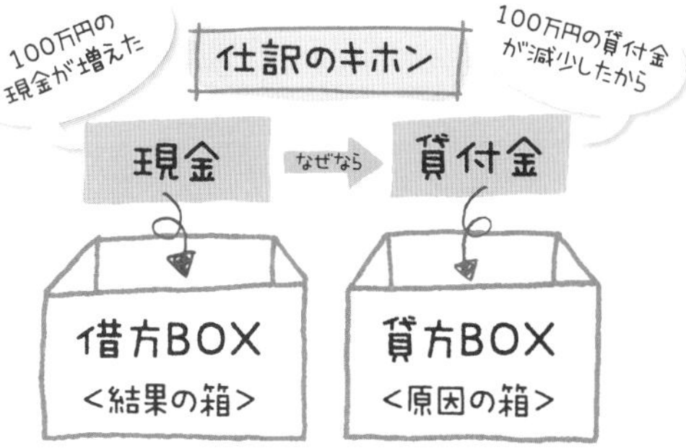

貸付金
が減った
↓
資産の減少＝**右（貸方）**に記入

借方	貸方
増加！	減少！

現金が増えたので、借方に記入します。

	借方		貸方	
9/2	現　金	1,000,000	貸付金	1,000,000

※貸付金の利息の受け取りについては、081ページ参照。

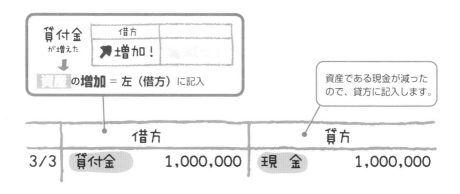

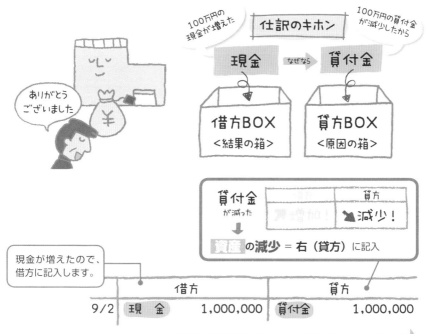

備品

相手科目：現金

⑨備品を現金で買ったとき

備品とは、使用可能な期間が1年以上で、取得価額が10万円以上のもの。使用可能な期間が1年未満、または取得価額が10万円未満のものは、消耗品費になります。

備品を現金で買ったときの仕訳は次のように考えます。

たとえば、事務所用の棚を現金12万円で購入した場合、「120,000円の備品が増えた」という原因によって「現金が120,000円減った」という結果が生じます。このときに使われる勘定科目は、備品と現金です。

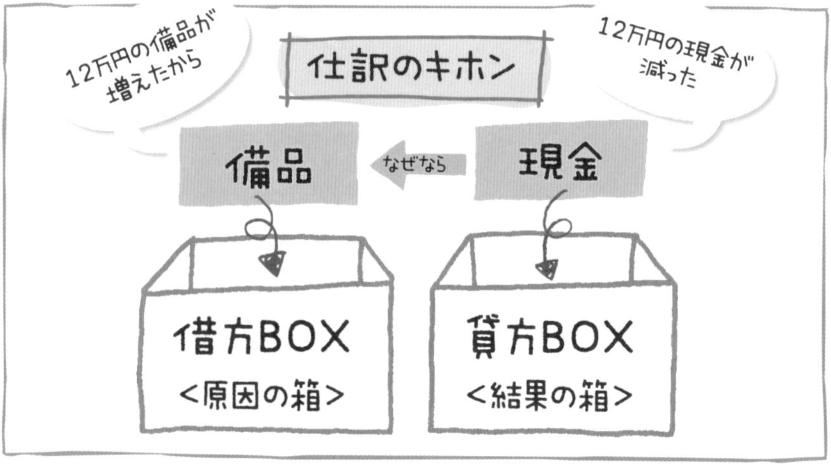

備品が増えた
↓
資産の増加 = **左（借方）** に記入

借方	貸方
増加！	減少！

現金も資産グループの勘定科目。現金が減ったので、貸方に記入します。

	借方		貸方	
4/12	備品	120,000	現金	120,000

ポイント 消耗品費と備品の見分け方

消耗品費も備品も、会社が業務で使用する事務用品や家具、機械などを購入したときに使う勘定科目です。両者は取得価額と使用期間によって使い分けます。高額なものは、何年にもわたって売上をつくることに貢献するので、消耗品費という費用ではなく、備品という資産で記録するのです。

START
使用期間が1年未満か?
YES
NO
消耗品費
取得価額が10万円未満か?
YES
NO
消耗品費
備品

消耗品費

〔消耗品費にふくまれるもの〕
- 筆記用具などの文房具
- コピー用紙、封筒、伝票、名刺などの事務用品
- ティッシュペーパー、食器用洗剤、蛍光灯、電池などの日用雑貨
- 1セット10万円未満の机やイス
- 10万円未満のパソコン、パソコン周辺機器など

備品

〔備品にふくまれるもの〕
- 10万円以上の机やイス、応接セットなど
- 10万円以上のパソコン、コピー機など

A4

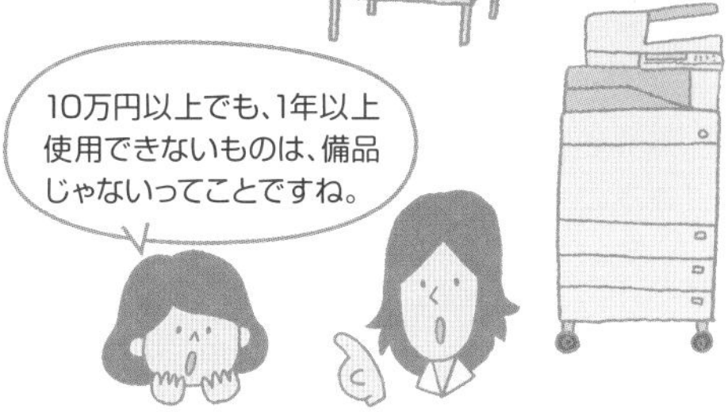
10万円以上でも、1年以上使用できないものは、備品じゃないってことですね。

注）工場で使われる道具などをふくめて、工具器具備品という勘定科目もよく使われます。

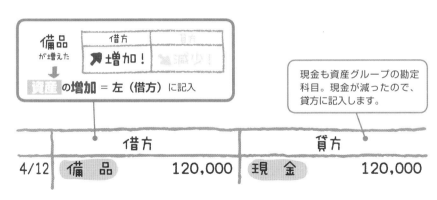

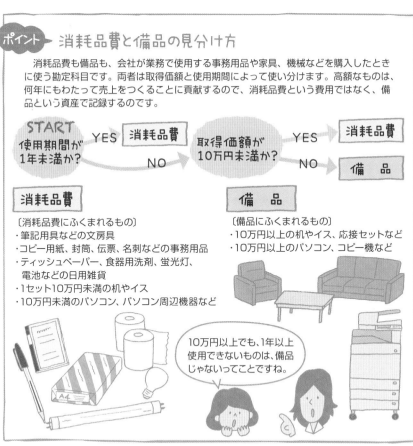

資産グループの勘定科目

有価証券

相手科目：現金

⑩有価証券を買ったとき

会社が資金を増やす目的で、他の会社の株式を買ったときは、有価証券という勘定科目を使います。株式などの有価証券は、会社にとってプラスの財産なので資産です。

売買目的で有価証券を買ったときの仕訳は次のように考えます。

たとえば、80,000円の株式を買った場合、「80,000円の有価証券が増えた」という原因によって「現金が80,000円減少した」という結果が生じます。このときに使われる勘定科目は、有価証券と現金です。

株券
¥80,000－
株式を
買いました

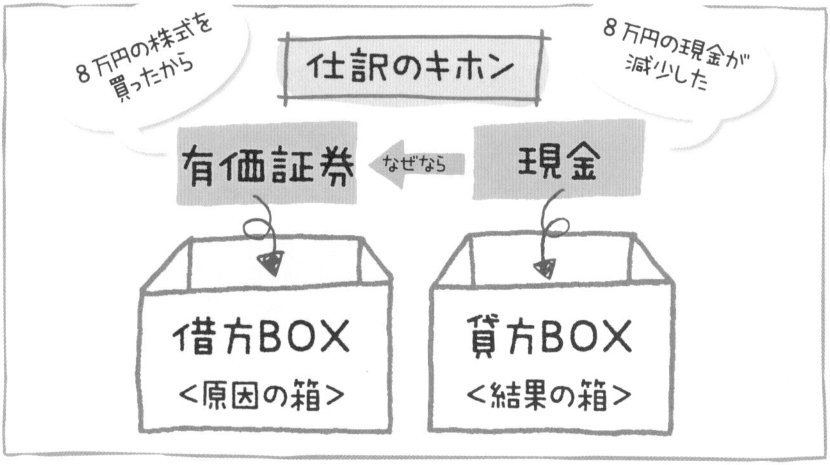
8万円の株式を
買ったから
仕訳のキホン
8万円の現金が
減少した
有価証券
なぜなら
現金
借方BOX
<原因の箱>
貸方BOX
<結果の箱>

有価証券が増えた

借方	
↗増加！	

↓

資産の増加 = 左（借方）に記入

資産である現金が減ったので、貸方に記入します。

	借方		貸方	
8/8	有価証券	80,000	現　金	80,000

仕訳の日付は、有価証券を購入したときです。

株式を売ったり買ったりしたタイミングで仕訳が必要なんですね。
有価証券は、株式のほかに、社債、公債（国債と地方債）などがあるのよ。

KEY WORD　**株式とは？**　株式会社の株主としての権利を表すもの。株主であることを証明するものを株券といいます。

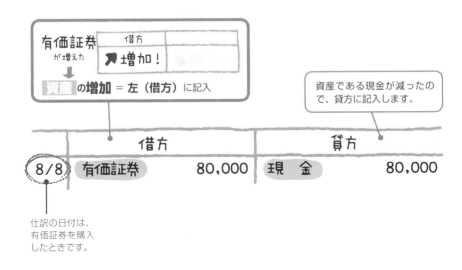

資産グループの勘定科目

有価証券＋有価証券売却益（収益グループ）

相手科目：現金

⑪有価証券を売ったとき

会社が資金を増やす目的で、他の会社の株式を売ったときの仕訳です。売ったときの価額が、買ったときの価額よりも高ければ、有価証券売却益という利益が出ます。

売買目的で有価証券を売ったときの仕訳は次のように考えます。

たとえば、8,000円で買った株式を10,000円で売った場合、「8,000円で取得した有価証券がなくなった（＝減った）」「売却によって2,000円の差額利益を得た」という原因によって「現金が10,000円増えた」という結果が生じます。このときに使われる勘定科目は、有価証券、有価証券売却益、現金です。

買ったときより
高い？安い？
株券
¥000,000−

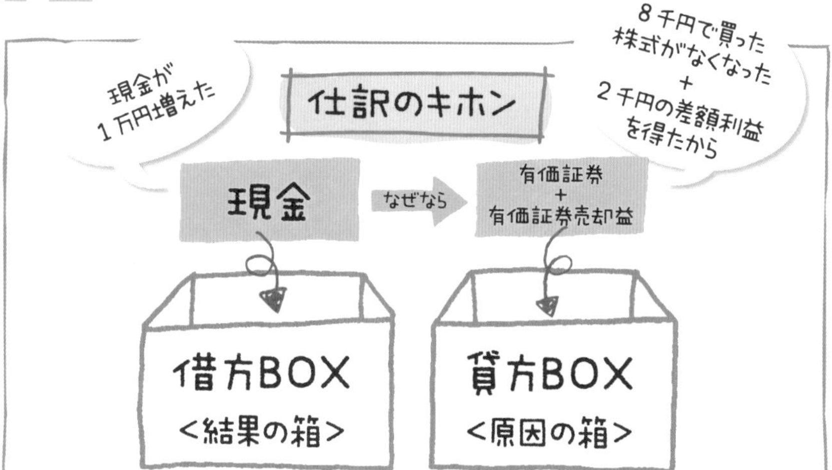
現金が
1万円増えた
仕訳のキホン
8千円で買った
株式がなくなった
+
2千円の差額利益
を得たから
現金
なぜなら
有価証券
+
有価証券売却益
借方BOX
<結果の箱>
貸方BOX
<原因の箱>

現金と有価証券はどちらも資産グループの勘定科目。有価証券は減ったので貸方に、現金は増えたので借方に記入します。

	借方		貸方	
2/20	現　金	10,000	有価証券	8,000
			有価証券売却益	2,000

現金＞有価証券なら、その差額を有価証券売却益として貸方に記入します。

貸方や借方の勘定科目が2つ以上になる場合もあるのよ。

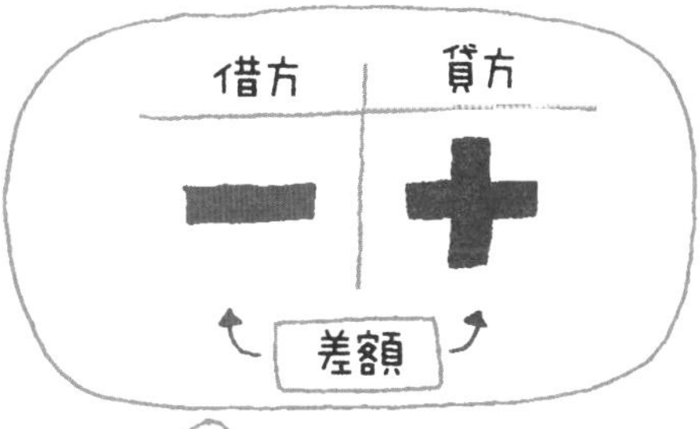
借方
貸方
差額

差額がプラスかマイナスで見分けるんですね！

ポイント 有価証券売却益は収益グループ、有価証券売却損は費用グループの勘定科目となります。

こんなときどうする？

売却によって損失が生じたら……

現金＜有価証券なら、その差額を有価証券売却損として借方に記入します。たとえば、8,000円で買った株券を5,000円で売った場合は、次のような仕訳になります。

	借方		貸方	
2/20	現　金	5,000	有価証券	8,000
	有価証券売却損	3,000		

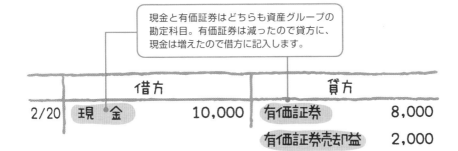

負債グループの勘定科目

買掛金

相手科目：仕入

①商品を掛けで仕入れたとき

買掛金は、会社が支払わなければいけない取引上の債務。商品を掛けで買ったときに、買い手側が売り手側に負います。債務なので負債グループに属します。

商品を掛けで仕入れたときの仕訳は次のように考えます。

たとえば、30,000円の商品を掛けで仕入れた場合、「30,000円の商品を仕入れた」という原因によって「30,000円の買掛金が発生した」という結果が生じます。このときに使われる勘定科目は、仕入と買掛金です。

商品を仕入れました
支払いはこれからです

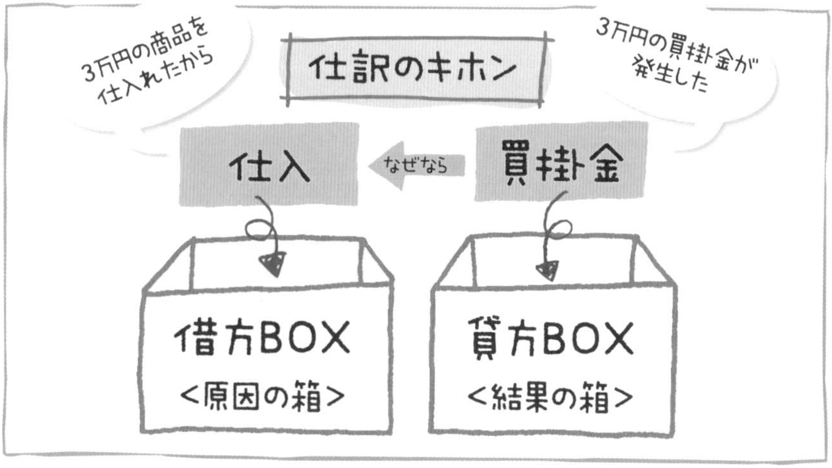

3万円の商品を仕入れたから
仕訳のキホン
3万円の買掛金が発生した
仕入
なぜなら
買掛金
借方BOX
<原因の箱>
貸方BOX
<結果の箱>

仕入は費用グループに属する勘定科目。仕入をしたら、借方に記入します。

買掛金が発生
↓
負債の増加 = 右（貸方）に記入

	貸方
	増加！

	借方		貸方	
9/2	仕入	30,000	買掛金	30,000

○○商事様からのお届けものです

現金で買ったときの仕入を現金仕入、掛けで買ったときの仕入を掛仕入というのよ。
掛仕入の仕訳は、商品を取引先から受け取り、検品・検収したタイミングで行うのが一般的！

こんなときどうする？

商品以外を掛けで買った場合

本来の営業取引でモノを掛けで仕入れたときは買掛金を使いますが、備品など本来の営業取引以外のモノを掛けで買ったときは未払金という勘定科目が用いられます（066ページ参照）。

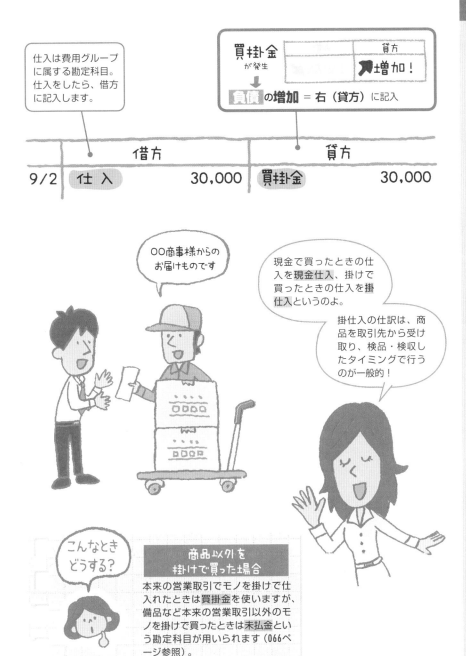

負債グループの勘定科目

買掛金

相手科目：普通預金

②買掛金を口座から振り込んだとき

買掛金などの負債は、会社が将来、支払わなければいけないマイナスの財産。支払いを済ませて債務が消滅したら、今度は借方に記入します。貸方には支払いの方法を表す勘定科目が入ります。

支払期日がきて、買掛金を口座から振り込んだときの仕訳は次のように考えます。

たとえば、30,000円の買掛金を普通口座から振り込んだ場合、「30,000円の買掛金を支払った」という原因によって「普通預金が30,000円減った」という結果が生じます。このときに使われる勘定科目は、買掛金と普通預金です。

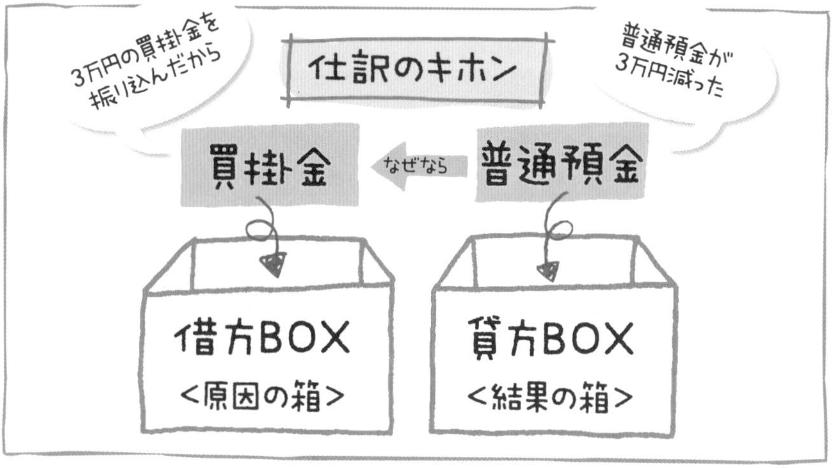

買掛金
が減った
↓
負債の減少 ＝ 左（借方）に記入

借方	貸方
減少！	増加！

普通預金という資産が減ったので、貸方に記入します。

	借方		貸方	
9/30	買掛金	30,000	普通預金	30,000

こんなとき
どうする?

買掛金を小切手で支払ったら……

掛けで商品を仕入れたときに、約束した支払期日に小切手で支払った場合は、当座預金という勘定科目で処理します。

9/30	買掛金	30,000	当座預金	30,000

買掛金が減少したときは、借方に記入するの。このときの相手科目は、支払いの方法を表す勘定科目になるのよ。

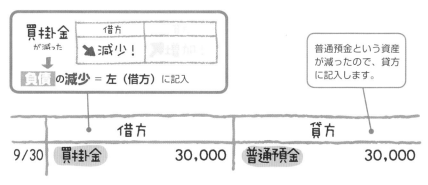

負債グループの勘定科目

支払手形

相手科目：仕入／当座預金

③商品を仕入れて手形を渡したとき／代金の授受が行われたとき

商品を仕入れたときに振り出した手形は、支払手形という勘定科目で処理されます。期日がきて、代金の授受が行われたときは当座預金です。

代金を手形で渡したとき

約束手形
手形を振り出して仕入れた

商品の仕入代金を手形で渡したときの仕訳は次のように考えます。

たとえば、80,000円の商品を仕入れて手形を渡した場合、「80,000円の商品を仕入れた」という原因によって「80,000円の手形を渡した」という結果が生じます。このときに使われる勘定科目は、仕入と支払手形です。

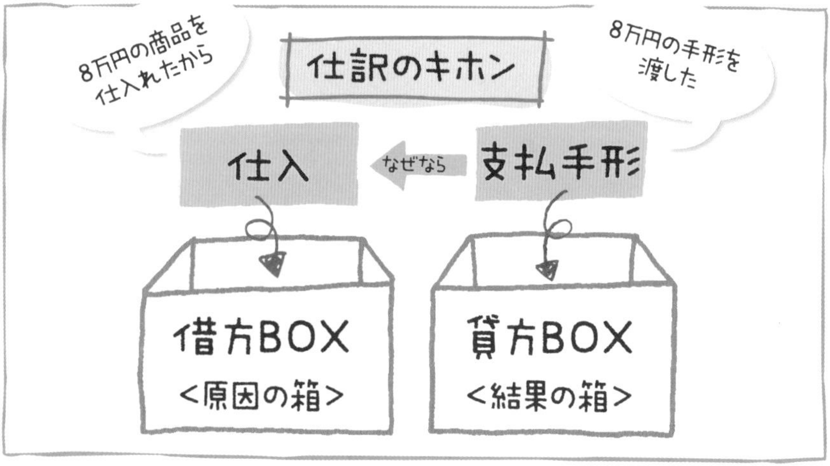

8万円の商品を仕入れたから
仕訳のキホン
8万円の手形を渡した
仕入
なぜなら
支払手形
借方BOX
<原因の箱>
貸方BOX
<結果の箱>

注）商品を受け取り、検品・検収したときに買掛金として処理し、手形を振り出した段階で支払手形と買掛金の仕訳をする場合もあります。

仕入は費用グループに属する勘定科目。仕入を行ったら、借方に記入します。

支払手形
が発生
貸方
増加！
負債の増加 = 右（貸方）に記入

	借方		貸方	
2/17	仕　入	80,000	支払手形	80,000

代金の授受が行われたとき

支払期日がきて、代金の授受が行われたときの仕訳は次のとおりです。

この取引では、「80,000円の手形が換金された（＝手形債務が消滅した）」という原因によって「当座預金の口座から80,000円が引き落とされた」という結果が生じます。このときに使われる勘定科目は、支払手形と当座預金です。

振り出した手形は、期日になると銀行口座（当座預金）から引き落とされるのよ。

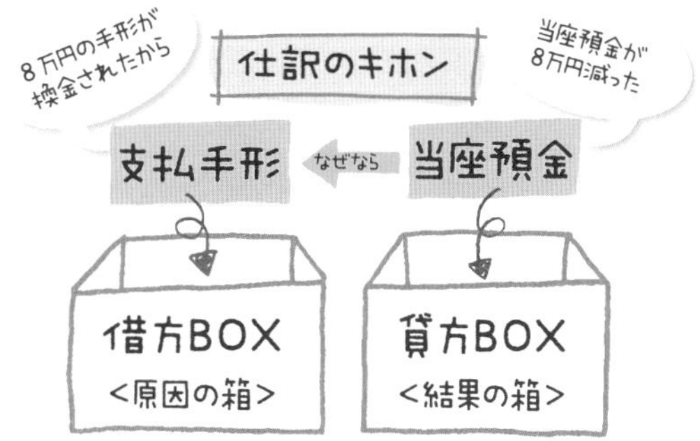
8万円の手形が換金されたから
仕訳のキホン
当座預金が8万円減った
支払手形
なぜなら
当座預金
借方BOX
<原因の箱>
貸方BOX
<結果の箱>

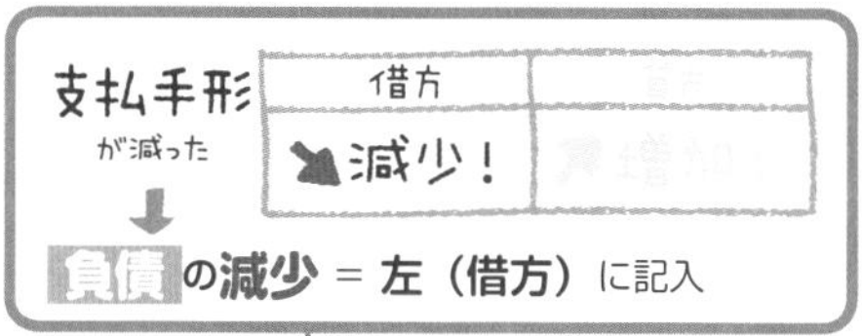
支払手形
が減った
借方
減少！
負債の減少 = 左（借方）に記入

当座預金は資産グループの勘定科目。減った場合は、貸方に記入します。

	借方		貸方	
3/30	支払手形	80,000	当座預金	80,000

※2027年3月末をもって、紙の手形・小切手の廃止が予定されており、それに代わって「電子記録債権」が利用されます。

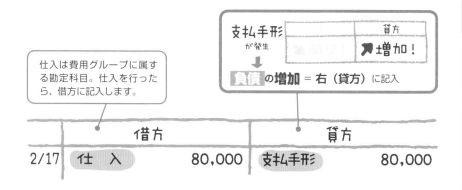

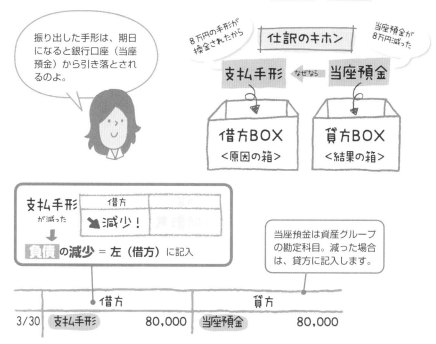

負債グループの勘定科目

借入金

相手科目：普通預金

④銀行からお金を借りたとき／借入金を返したとき

金融機関などからお金を借りたときは、借入金という勘定科目を使って処理。将来に返済を約束した債務なので、負債グループに属します。

お金を借りたとき

銀行からお金を借りたときの仕訳は次のように考えます。

たとえば、1,000,000円のお金を借りた場合、「1,000,000円を借り入れた」という原因によって「普通預金が1,000,000円増えた」という結果が生じます。このときに使われる勘定科目は、借入金と普通預金です。

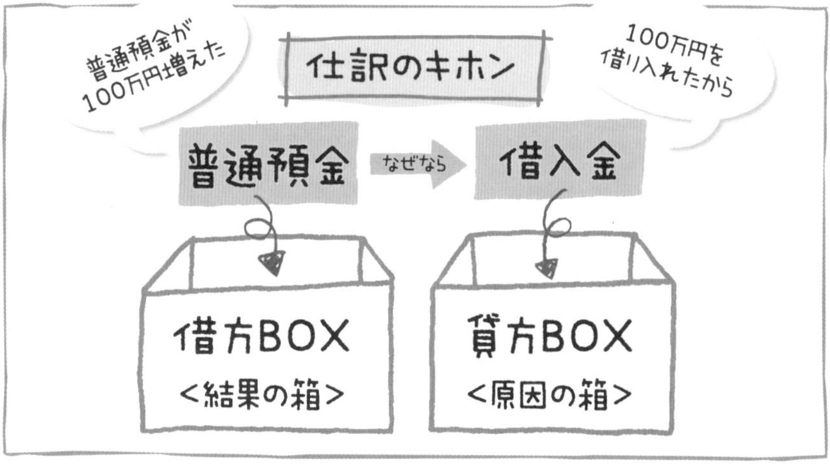

資産である普通預金が増えたので、借方に記入します。

借入金が発生

	借方	貸方
	減少！	増加！

↓

負債の増加 = 右（貸方）に記入

	借方		貸方	
4/10	普通預金	1,000,000	借入金	1,000,000

借入金を返したとき

返済日がきて、借入金を返済したときの仕訳は次のとおりです。

この取引では、「1,000,000円の借入金を返した（＝減少した）」という原因によって「普通預金が1,000,000円減った」という結果が生じます。このときに使われる勘定科目も、借入金と普通預金です。

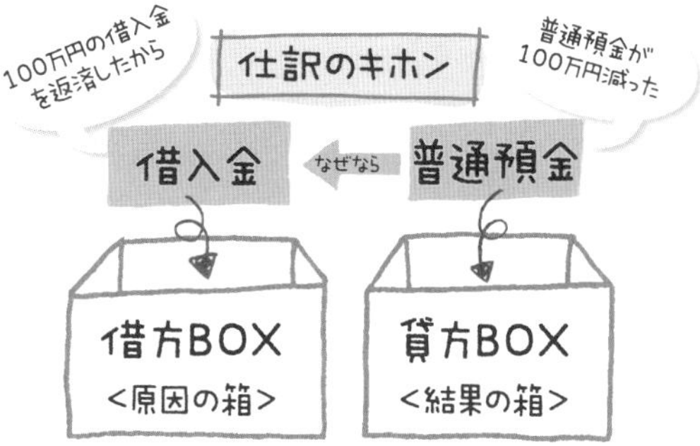

借入金が減った

	借方	貸方
	減少！	増加！

↓

負債の減少 = 左（借方）に記入

普通預金が減ったので、貸方に記入します。

	借方		貸方	
12/20	借入金	1,000,000	普通預金	1,000,000

※借入金の利息の支払いについては、117ページ参照。

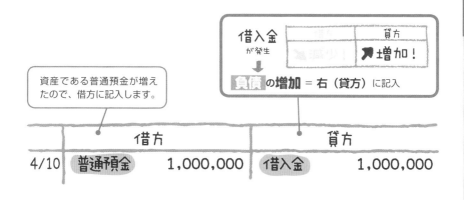

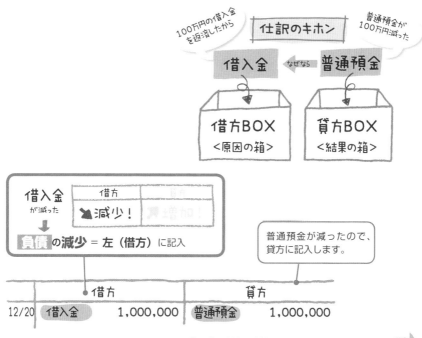

負債グループの勘定科目

未払金

相手科目：備品

⑤備品を後払いで購入したとき

備品や有価証券など、本業にかかわる商品やサービス以外のモノを、掛けで買ったときは、未払金という勘定科目が使われます。なお、継続的な取引については、未払費用を用います（144ページ参照）。

備品を後払いで購入したときの仕訳は次のように考えます。

たとえば、150,000円のパソコンを後払いで購入した場合、「150,000円の備品が増えた」という原因によって「150,000円の未払金が発生した」という結果が生じます。このときに使われる勘定科目は、備品と未払金です。

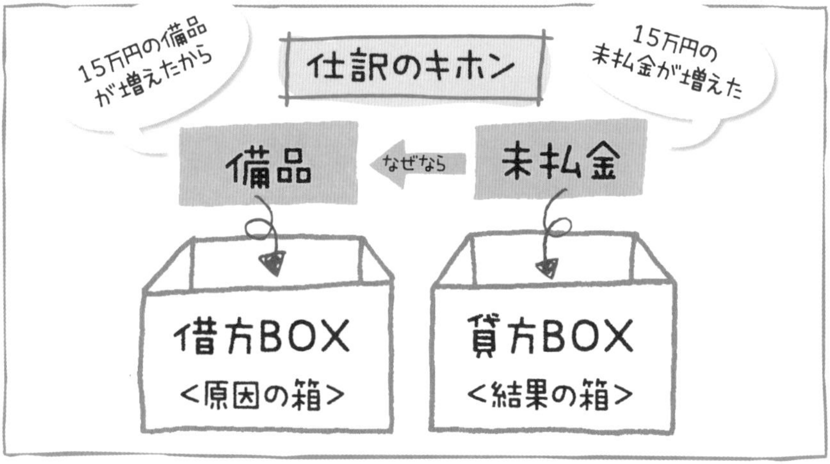

備品は資産グループの勘定科目なので、増えたら借方に記入します。

未払金 が発生

	借方	貸方
未払金	減少！	増加！

↓

負債の増加 = **右（貸方）**に記入

	借方		貸方	
7/1	備 品	150,000	未払金	150,000

自分たちの仕事で使うモノ

備品を掛けで購入

↓

備品（資産グループ）	未払金（負債グループ）

お客さんに売るモノ

商品を掛けで購入

↓

仕入（費用グループ）	買掛金（負債グループ）

ツケで備品を買ったときは未払金、ツケで仕入れたときは買掛金ですね。

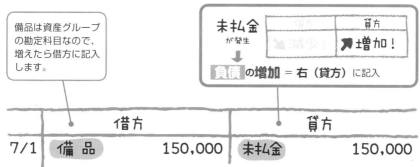

負債グループの勘定科目

預り金

相手科目：現金

⑥取引先から現金を預かったとき

取引先から保証金などを預かったときに使う勘定科目です。従業員から一時的に預かっている源泉所得税や社会保険料なども預り金となります（112ページ参照）。

取引先から保証金として現金を預かったときの仕訳は次のように考えます。

たとえば、200,000円の現金を預かった場合、「200,000円を預かった」という原因によって「200,000円の現金が増えた」という結果が生じます。このときに使われる勘定科目は、預り金と現金です。

現金を
預かった

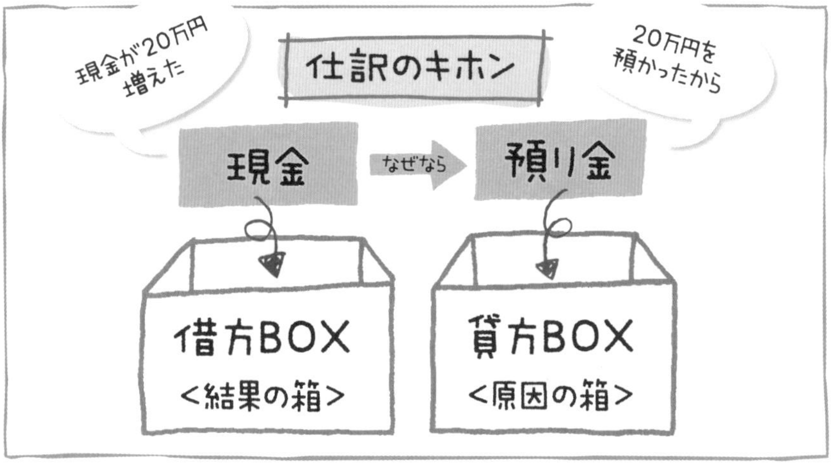

仕訳のキホン
現金が20万円
増えた
20万円を
預かったから
現金
なぜなら
預り金
借方BOX
<結果の箱>
貸方BOX
<原因の箱>

現金という資産が増えたので、借方に記入します。

預り金
が発生
↓
負債の増加 = **右（貸方）**に記入

借方	貸方
減少!	↗増加！

	借方		貸方	
4/29	現 金	200,000	預り金	200,000

預り金は、将来会社が支払わなければいけないマイナスの財産なので負債になります。

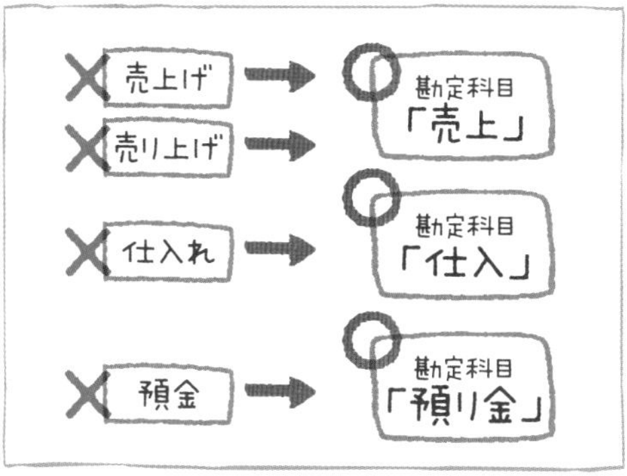

簿記の勘定科目は、「売上」や「仕入」など、送り仮名を省略して表記するのが基本だけど、「預り金」は省略すると「預金（よきん）」と同じになってしまうので、例外的に送り仮名をつけているの。

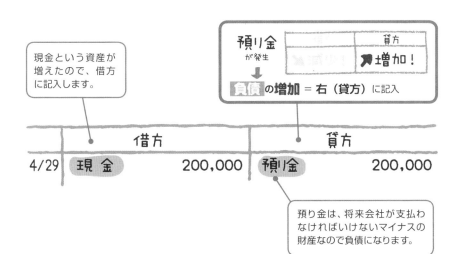

純資産グループの勘定科目

資本金

相手科目：現金

①開業で元入れしたとき（資本金を出資したとき）

資本金とは、会社を設立したときの出資金のことです。株主が資本金を出資したときは、この勘定科目を使って仕訳を行います。

資本金を元入れしたときの仕訳は次のように考えます。

たとえば、1,000,000円を出資して会社を設立した場合、「ある人から資本金として1,000,000円の出資を受けた」という原因によって「会社に1,000,000円の現金が増えた」という結果が生じます。このときに使われる勘定科目は、資本金と現金です。

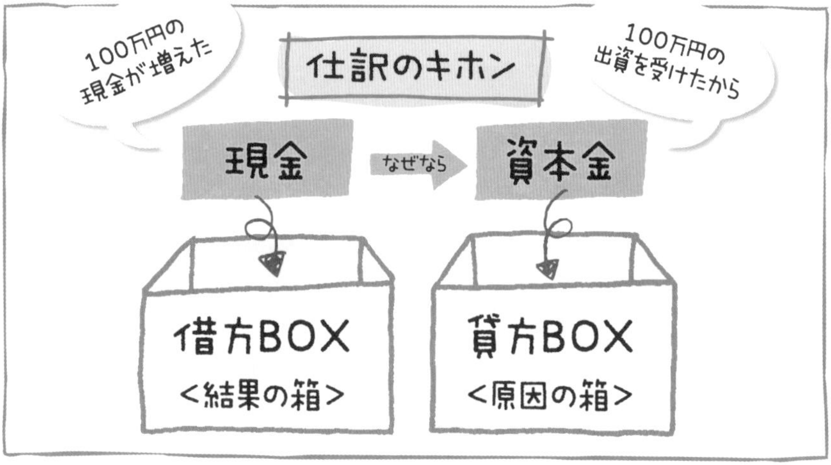

	借方		貸方	
9/10	現　金	1,000,000	資本金	1,000,000

現金という資産が増えたので、借方に記入します。

資本金 が増えた

借方	貸方
減少！	増加！

↓

純資産の増加 ＝ **右（貸方）** に記入

日常的なの業務の中で、純資産を仕訳することはほとんどないと思うけど、知識としておぼえておいてね。
はい！勉強になります

KEY WORD

元入れ（もといれ）とは？　開業の際に、お金やモノを会社に出資することを元入れといい、これが資本金となります。

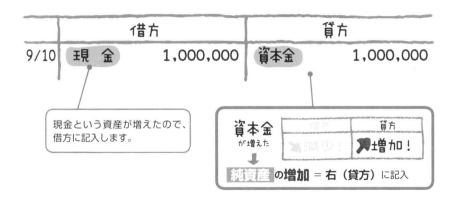

純資産グループの勘定科目

資本準備金、資本金

相手科目：普通預金

②出資金の一部を資本金として計上しなかったとき

株主から受けた出資金のうち、2分の1を超えない額は、資本金に組み入れずに資本準備金として計上することができます。

出資金の一部を資本金として計上しなかったときの仕訳は次のように考えます。

たとえば、株主が普通預金で振り込んだ出資金6,000,000円のうち、3,000,000円を資本金としなかった場合、「資本金3,000,000円が振り込まれた」「資本準備金3,000,000円が振り込まれた」という2つの原因によって「普通預金が6,000,000円増えた」という結果が生じます。このときに使われる勘定科目は、資本金、資本準備金、普通預金です。

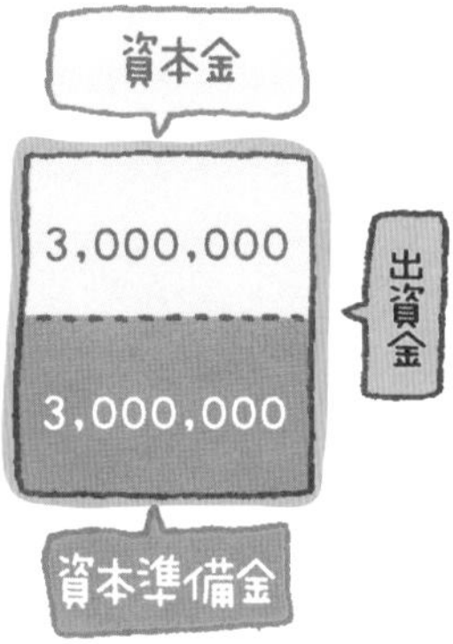

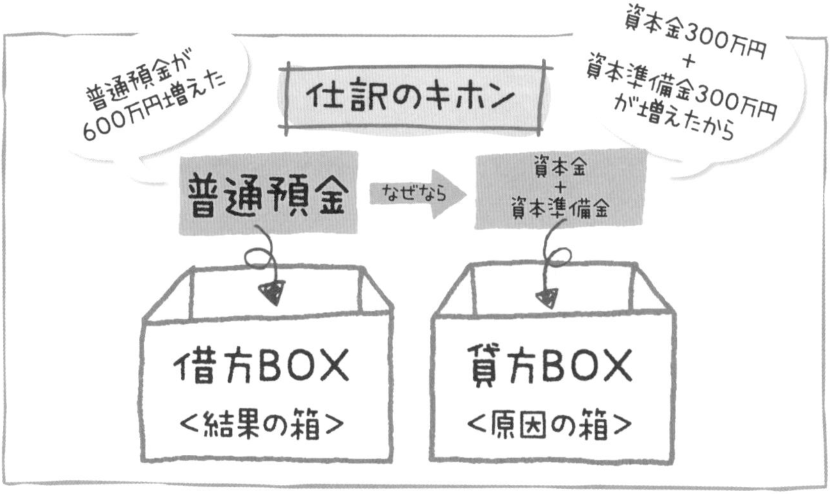

	借方		貸方	
4/20	普通預金	6,000,000	資本金	3,000,000
			資本準備金	3,000,000

普通預金という資産が増えたので、借方に記入します。

資本金
資本準備金
が増えた
↓

借方	貸方
減少！	増加！

純資産の増加 = 右（貸方）に記入

ポイント

資本準備金を用意するのはなぜ？

出資金の一部を資本準備金にするおもな理由は、会社が赤字になったときのためです。赤字になると会社は資本金を減らさなければなりませんが、これは会社にとってたいへんなこと。そうならないように、資本準備金という資本金以外の純資産を用意しておくのです。

株主から出資されたお金は、その全部を資本金にしなくてもいい、という決まりがあるの。
出資金
出資金の1/2を超えない金額を資本準備金として計上できる
へえ～

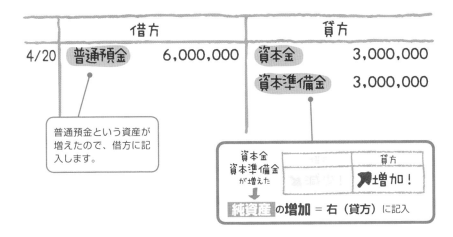

純資産グループの勘定科目

繰越利益剰余金

相手科目：利益準備金
未払配当金

③会社の利益から配当金を出したとき

前期から繰り越された会社の利益は繰越利益剰余金という勘定科目で表されます。株主への配当金はそこから出しますが、その1割は積み立てることが義務づけられ、利益準備金という勘定科目で処理されます。

会社の利益から株主に配当金を出したときの仕訳は次のように考えます。

たとえば、990,000円の利益のうち、900,000円を株主に配当し、残りの90,000円を利益準備金として積み立てた場合、「株主に900,000円を配当した」「利益準備金が90,000円増えた」という2つの原因によって「会社の利益が990,000円減った」という結果が生じます。このときに使われる勘定科目は、未払配当金、利益準備金、繰越利益剰余金です。

株主への配当金は、未払配当金という負債グループの勘定科目で表されます。

	借方		貸方	
4/2	繰越利益剰余金	990,000	未払配当金	900,000
			利益準備金	90,000

繰越利益剰余金も利益準備金も純資産グループの勘定科目。減ったら借方に、増えたら貸方に記入します。

借方	貸方
減少！	増加！

とりあえず最初は、070ページの資本金だけおぼえておけば大丈夫よ！
純資産の仕訳はちょっとムズカシイですね……。

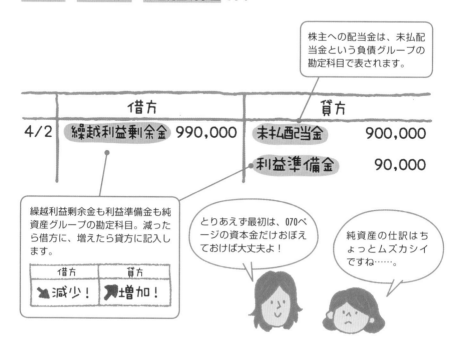

PART

2

収益・費用の仕訳

損益計算書の中身を知ろう

PART2では、収益と費用のグループに属する、おもな勘定科目の仕訳について説明します。その前に、損益計算書の中身についておさらいしましょう。

損益計算書の借方には費用、貸方には収益が入ります。さらに収益が費用を上回る場合は当期純利益が借方に、費用が収益を上回る場合は当期純損失が貸方に示されます。

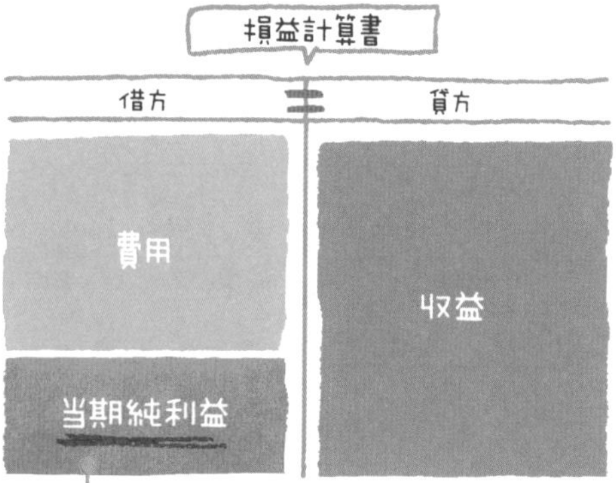
損益計算書
借方
貸方
費用
当期純利益
収益

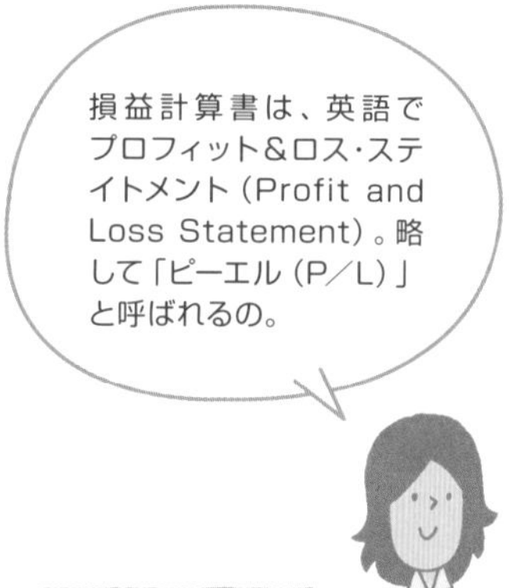
損益計算書は、英語でプロフィット&ロス・ステイトメント（Profit and Loss Statement）。略して「ピーエル（P/L）」と呼ばれるの。

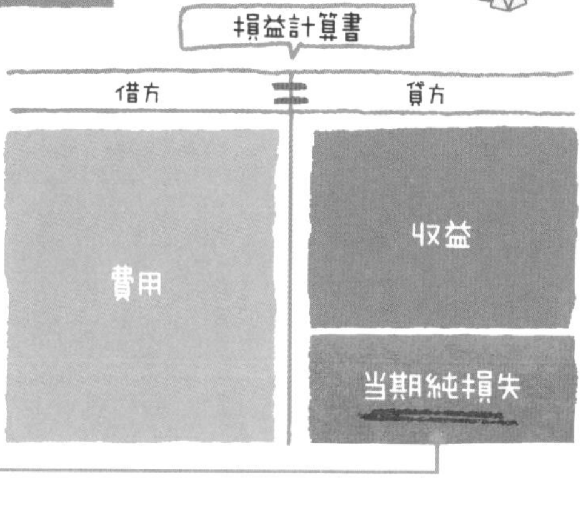
損益計算書
借方
貸方
費用
収益
当期純損失

損益計算書は、会社が1年間にどれだけもうけたかがわかる書類。黒字の場合は借方に当期純利益が、赤字の場合は貸方に当期純損失が示されます。

仕訳を行って各グループの勘定科目をグループごとに合計。損益計算書に表すことで、1年間の会社の経営成績が明らかになります。

収益 グループ

入ってきたお金
＝
会社の財産を増やすもの

おもな勘定科目
売上、受取利息、受取家賃、受取配当金、有価証券売却益など

費用 グループ

使ったお金
＝
収益を上げるために使う原価や経費

おもな勘定科目
仕入、旅費交通費、接待交際費、会議費、通信費、水道光熱費、消耗品費、広告宣伝費、給与、支払手数料、支払利息など

当期純利益（または当期純損失）グループ

収益と費用の差額

収益＞費用（黒字）
＝当期純利益

収益＜費用（赤字）
＝当期純損失

それぞれに仕訳

借方BOX　貸方BOX

収益グループには「受取○○」、費用グループには「○○費」や「支払○○」という勘定科目が多いんですね。

次のページからは、収益と費用の勘定科目を使った、仕訳の事例について説明するわね！

KEY WORD **経費とは？** 会計上の定義は、事業に関連する費用のこと。税務上では損金（費用）として認められない経費もあります。

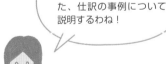

収益グループの勘定科目

売上

相手科目：現金

①商品を現金で売り上げたとき

本業の商品の販売やサービスの提供によって顧客から受け取る収益を売上といいます。損益計算書では売上高という項目で表されます（152ページ参照）。

商品を現金で売り上げたときの仕訳は次のように考えます。

たとえば、30,000円の商品を現金で売った場合、「商品を30,000円売り上げた」という原因によって「現金が30,000円増えた」という結果が生じます。このときに使われる勘定科目は、売上と現金です。

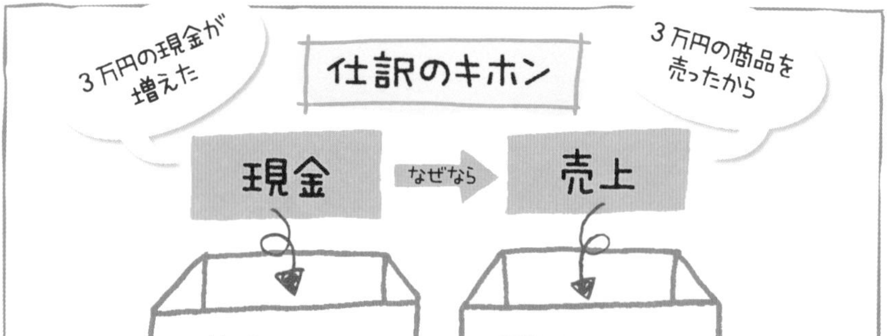

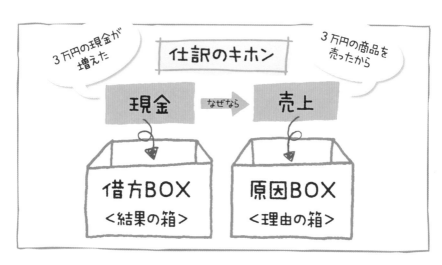

売上
が発生
↓
収益の増加 = **右（貸方）**に記入

借方	貸方
減少！	増加！

現金という資産が増えたので、借方に記入します。

	借方		貸方	
6/24	現金	30,000	売上	30,000

ポイント 売上の相手科目と代金の回収方法

	借方	貸方
○ 現金で売ったとき（現金売上）	現金	売上
○ 掛けで売ったとき（掛売上）	売掛金	売上
○ 小切手を受け取ったとき	現金	売上
○ 手形を受け取ったとき	受取手形	売上

借方には、売上代金の回収方法。つまり、売上によって増加した資産の勘定科目を書き入れるのよ！

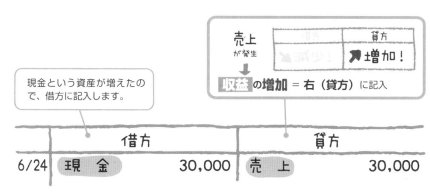

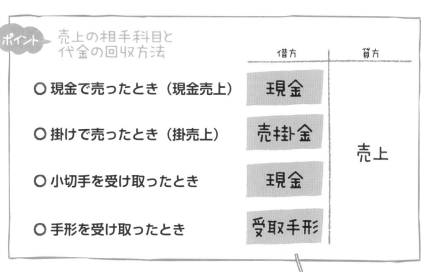

収益グループの勘定科目

受取利息

相手科目：普通預金
仮払税金

②受取利息が口座に振り込まれたとき

預金、貯金、貸付金から得た利息、つまり、お金を貸した側が受け取る利息を受取利息といいます。預金や貯金などの受取利息については、税金が発生します。

受取利息が口座に振り込まれたときの仕訳は次のように考えます。

ありがとう
ございました
利息

たとえば、100,000円の利息に対して20,000円の税金が引かれて、80,000円が振り込まれた場合、「利息を100,000円受け取った」という原因によって「普通預金が80,000円増えた」「税金20,000円が天引きされた」という2つの結果が生じます。このときに使われる勘定科目は、受取利息、普通預金、仮払税金です。

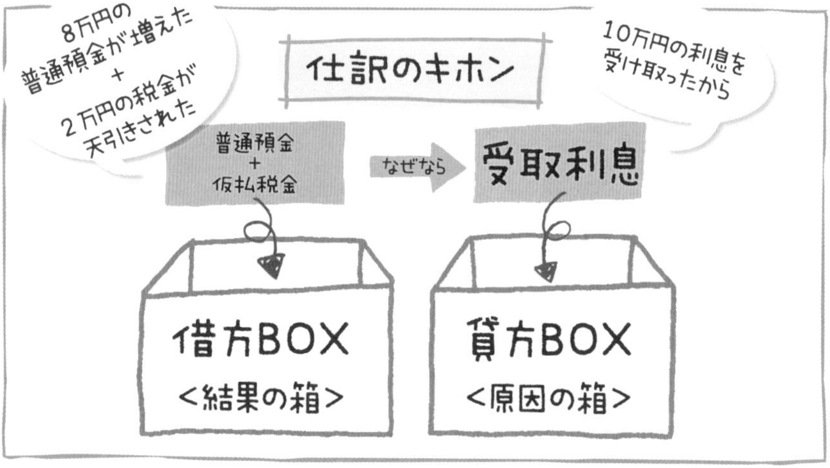
8万円の
普通預金が増えた
+
2万円の税金が
天引きされた
仕訳のキホン
10万円の利息を
受け取ったから
普通預金
+
仮払税金
なぜなら
受取利息
借方BOX
<結果の箱>
貸方BOX
<原因の箱>

普通預金という資産が増えたので、借方に記入します。仮払税金は資産グループの勘定科目。天引きされた税金を処理するときに使われます。

受取利息が発生

受取利息	借方	貸方
	減少！	増加！

↓

収益の**増加** ＝ **右（貸方）**に記入

	借方		貸方	
7/28	普通預金	80,000	受取利息	100,000
	仮払税金	20,000		

記入のタイミングは、利息を受け取ったときです。

貸したお金
貸付金
利息
もれなくついてきます
貸付金が発生した場合、原則、利息を徴収しなければならないのよ。

こんなときどうする?

貸付金とともに利息を受け取ったとき

貸付金の返済とともに、利息を現金で受け取ったときの仕訳は次のとおりです。

貸付金という資産が減ったから、貸方に記入

	借方		貸方	
3/20	現　金	66,000	貸付金	60,000
			受取利息	6,000

注）貸付金に対する受取利息については事前に税金を差し引きません。

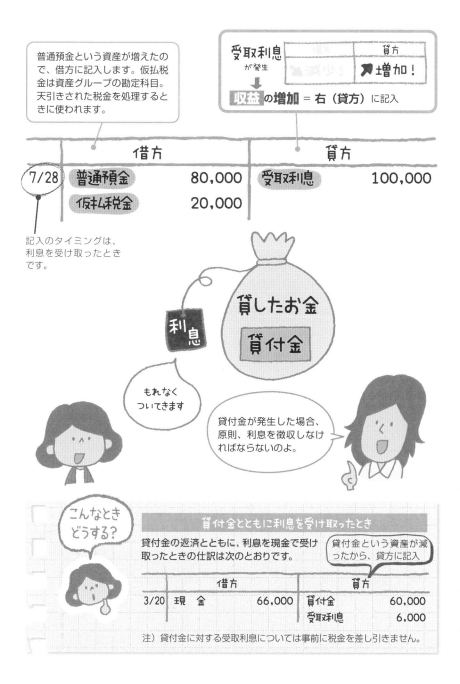

収益グループの勘定科目

売上（逆仕訳）

③掛けで売り上げた商品が返品されたとき

商品が返品されたときは、借方と貸方を入れ替えた逆仕訳を行います。左右反対の仕訳を行うことで、その取引はなかったことになります。

まず、商品を現金で売り上げたときの仕訳は次のように考えます。

たとえば、40,000円の商品を掛けで売った場合、「商品を40,000円売り上げた」という原因によって「売掛金が40,000円増えた」という結果が生じます。このときに使われる勘定科目は、売上と売掛金です。

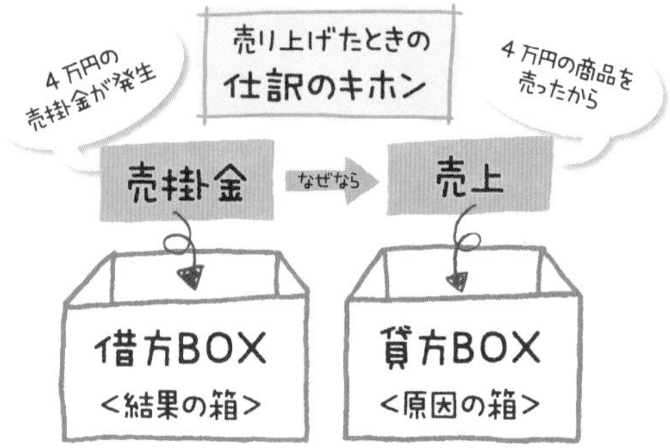

	借方		貸方	
8/14	売掛金	40,000	売　上	40,000

売掛金という資産が増えたので、借方に記入。売上は収益グループに属する勘定科目なので、貸方に記入します。

商品が返品されたときの仕訳は以下のとおり。ここでは「40,000円の商品が返品された」という原因によって、「売掛金が40,000円減った」という結果が生じます。

このときに使われる勘定科目も、売上と売掛金。借方と貸方で左右反対の仕訳を行って、取引がなかったことにすることを逆仕訳といいます。

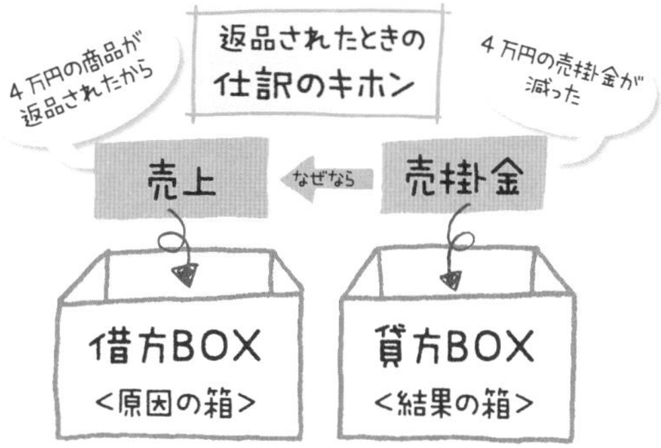
返品されたときの
仕訳のキホン
4万円の商品が
返品されたから
4万円の売掛金が
減った
売上
なぜなら
売掛金
借方BOX
<原因の箱>
貸方BOX
<結果の箱>

	借方		貸方	
8/14	売掛金	40,000	売　上	40,000
8/16	売　上	40,000	売掛金	40,000

売上4万円の商品が
返品された
↓
収益の減少 ＝ 左（借方）に記入

返品によって売掛金という
資産が消滅
↓
資産の減少 ＝ 右（貸方）に記入

返品があったら、
左右反対の仕訳を
行うの！

注）
商品が返品されたときの仕訳では、売上のかわりに売上返品という勘定科目が用いられることもあります。

収益グループの勘定科目

受取家賃

相手科目：現金

④家賃を現金で受け取ったとき

受取家賃は（不動産賃貸が本業ではない場合において）建物を賃貸したときの家賃収入です。受取賃貸料という勘定科目が使われることもあります。

家賃を現金で受け取ったときの仕訳は次のように考えます。

たとえば、160,000円の家賃を現金で受け取った場合、「家賃を160,000円受け取った」という原因によって「現金が160,000円増えた」という結果が生じます。このときに使われる勘定科目は、受取家賃と現金です。

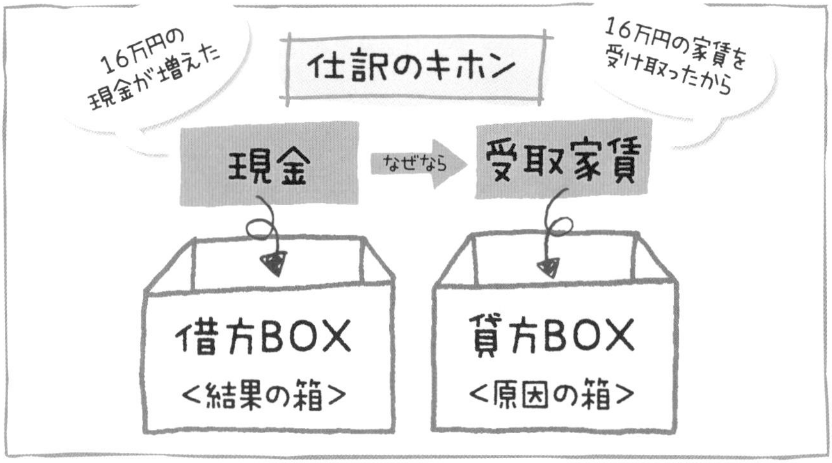

家賃
を受け取った
↓
収益の増加 = 右（貸方）に記入

借方	貸方
減少！	増加！

現金という資産が増えたので、借方に記入します。

	借方		貸方	
5/31	現　金	160,000	受取家賃	160,000

建物の賃貸料

受取家賃

土地の賃貸料

受取地代

受取利息、受取手数料、受取家賃……。「受取」とつくものは、みんな収益グループの勘定科目なんですね。

土地を貸して賃借料を得た場合は、受取地代という勘定科目が使われるの。

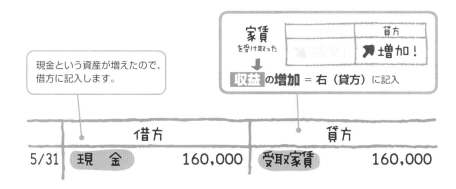

収益グループの勘定科目

受取配当金

相手科目：当座預金
仮払税金

⑤株式の配当金を受け取ったとき

他の会社に出資して株式の配当金を受け取ったときや、信用金庫などから剰余金が分配されたときは、受取配当金という勘定科目で処理します。

株式などの配当金を受け取ったときの仕訳は次のように考えます。

たとえば、600,000円の配当金を受け取って、税金を差し引いた500,000円が当座預金に入金された場合、「配当金を600,000円受け取った」という原因によって「当座預金が500,000円増えた」「税金が100,000円発生した」という2つの結果が生じます。このときに使われる勘定科目は、受取配当金、当座預金、仮払税金です。

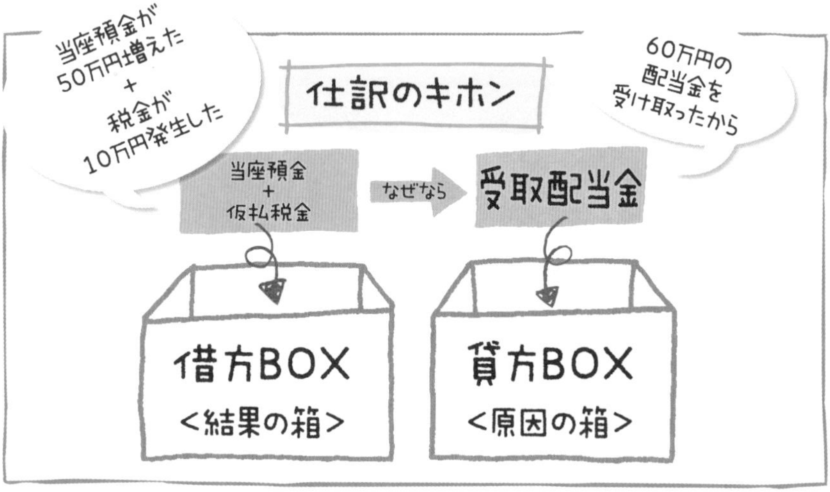

当座預金という資産が増えたので、借方に記入します。仮払税金は資産グループの勘定科目です。

配当金
を受け取った

	借方	貸方
	減少！	増加！

↓

収益の増加 = 右（貸方）に記入

	借方		貸方	
6/5	当座預金	500,000	受取配当金	600,000
	仮払税金	100,000		

記入のタイミングは、配当金を受け取ったときです。

差し引かれた税金は、決算時に清算されるまで仮払税金という資産グループの勘定科目で仕訳されるのよ。
受け取った配当金も、会社の収益になるんですね。

費用グループの勘定科目

仕入

相手科目：現金

①商品を現金で仕入れたとき

販売目的の商品や原材料を購入するのに使った費用は、仕入という勘定科目で扱われます。損益計算書では、仕入は売上原価という項目で表されます（152ページ参照）。

商品を現金で仕入れたときの仕訳は次のように考えます。

たとえば、70,000円の商品を現金で仕入れた場合、「商品を70,000円仕入れた」という原因によって「現金が70,000円減った」という結果が生じます。このときに使われる勘定科目は、仕入と現金です。

現金で
仕入れた
仕入
支払い

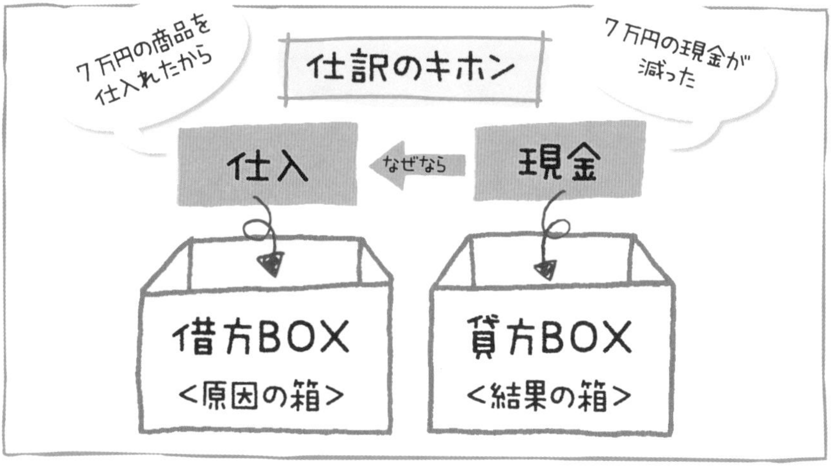

仕訳のキホン
7万円の商品を
仕入れたから
7万円の現金が
減った
仕入
なぜなら
現金
借方BOX
<原因の箱>
貸方BOX
<結果の箱>

仕入
が発生
↓
費用の増加 = 左（借方）に記入

借方	貸方
増加！	減少！

現金という資産が減ったので、貸方に記入します。

	借方		貸方	
2/8	仕　入	70,000	現　金	70,000

記入のタイミングは、現金を支払ったときです。

ポイント 仕入の相手科目と代金の支払い方法

	借方	貸方
○ 現金で買ったとき（現金仕入）	仕入	現金
○ 掛けで買ったとき（掛仕入）	仕入	買掛金
○ 小切手で支払ったとき	仕入	当座預金
○ 手形で支払ったとき	仕入	支払手形

仕入金額は、購入代金に、商品を運ぶためにかかった運賃など、仕入にかかった諸費用を加算したものになるのよ。

KEY WORD

諸掛（しょがかり）とは？　運送費など、商品を仕入れるときにかかる費用を仕入諸掛といいます。仕入側が負担する場合は、仕入にふくめます。

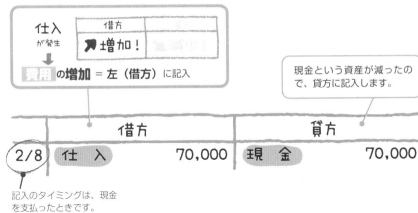

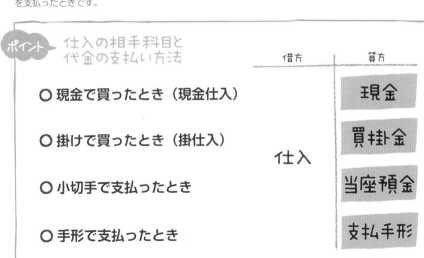

費用グループの勘定科目

旅費交通費

相手科目：現金

②交通費を現金で支払ったとき

通勤や業務遂行のために必要な電車賃、バス代、タクシー代などは旅費交通費として処理します。出張の際の宿泊費や出張手当もここにふくみます。

交通費を支払ったときの仕訳は次のように考えます。

たとえば、6,000円の電車賃を現金で支払った場合、「電車賃を6,000円支払った」という原因によって「現金が6,000円減った」という結果が生じます。このときに使われる勘定科目は、旅費交通費と現金です。

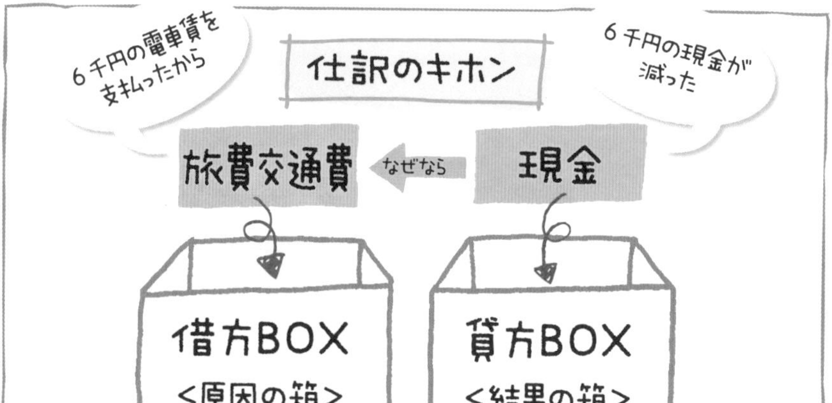
6千円の電車賃を
支払ったから
仕訳のキホン
6千円の現金が
減った
旅費交通費
なぜなら
現金
借方BOX
<原因の箱>
貸方BOX
<結果の箱>

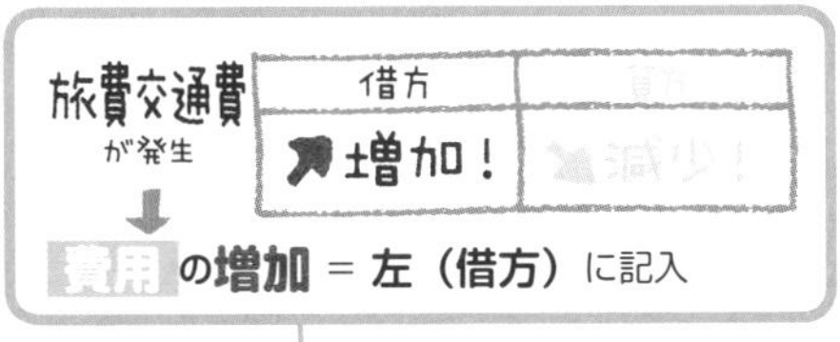
旅費交通費
が発生
借方
貸方
増加！
減少！
費用の増加＝左（借方）に記入

現金という資産が減ったので、貸方に記入します。

	借方		貸方	
4/28	旅費交通費	6,000	現　金	6,000

記入のタイミングは、交通費を精算したときです。

出張のときの宿泊費も、旅費交通費なんですね。

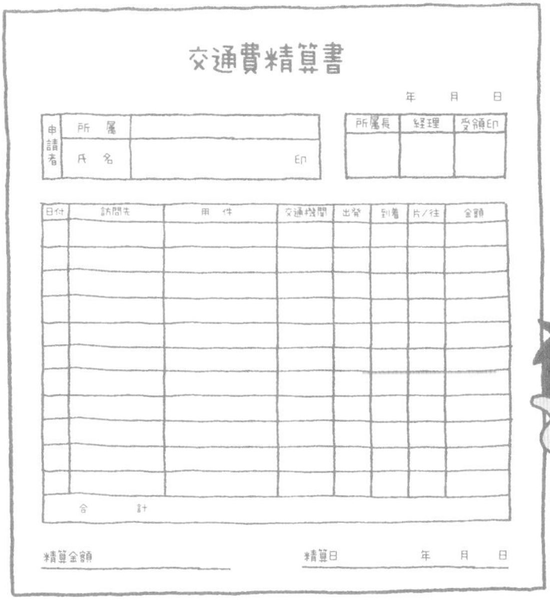

交通費精算書

年　月　日

申請者		
所　属		
氏　名		印

所属長	経理	受領印

日付	訪問先	用　件	交通機関	出発	到着	片／往	金額
合　計							

精算金額

精算日　年　月　日

領収書が発行されない電車賃やバス代は、支払いの明細を記した交通費精算書などが領収書のかわりになるのよ。

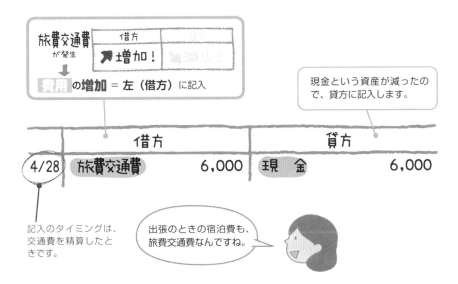

TOPICS

仮払金の発生と精算

仮払金とは、出張や接待の際に、会社が従業員に前もって渡すまとまったお金のこと。飲食代や宿泊費、交通費の立て替えが、個人の負担にならないようにするための措置です。従業員に仮払いしたときと、出張や接待から戻って仮払いを精算したときに、仕訳が必要になります。

仮払いが発生したときの仕訳

100,000円の出張旅費を現金で仮払いしたときの仕訳は次のとおりです。

この取引では、「100,000円の仮払金が発生した」という原因と「100,000円の現金を渡した」という結果が、仮払金と現金という勘定科目で仕訳されます。

	借方		貸方	
1/22	仮払金	100,000	現　金	100,000

概算払いの時点で処理します。仮払金は資産グループに属する勘定科目なので、発生したら借方に記入します。

わかりました
精算書を忘れずにお願いします
仮払金

仮払いを精算したときの仕訳

宿泊費が 50,000 円、交通費が 30,000 円かかったという報告を受け、現金 20,000 円の返還を受けたときの仕訳です。

この取引では、「100,000 円の仮払金がなくなった」という原因と「80,000 円の旅費交通費が計上され、20,000 円の現金が返還された」という結果が、仮払金、旅費交通費、現金という勘定科目で仕訳されます。

	借方		貸方	
1/22	仮払金	100,000	現　金	100,000
1/26	旅費交通費	80,000	仮払金	100,000
	現　金	20,000		

宿泊費50,000円
＋
交通費30,000円

精算を済ませて仮払金がなくなったので、今度は貸方に記入します。

え〜と
これは…
出張や接待から戻ったら、経理担当者は差額の現金と仮払金精算書を受け取るのよ。
精算のときに、仮払金から正しい処理に修正されるんですね。

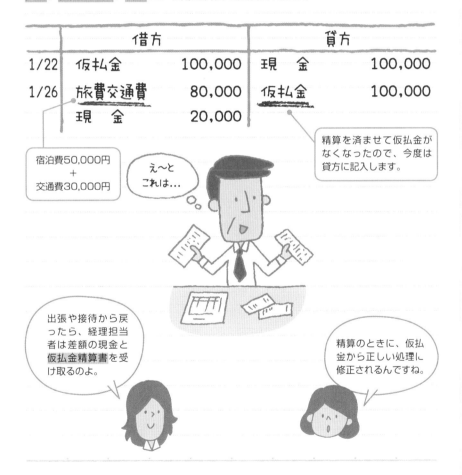

接待交際費

相手科目：現金

③接待の飲食代を現金で支払ったとき

取引先の接待や贈答などにかかる費用は接待交際費として扱います。ただし、一人あたり10,000円以内の飲食代であれば、税法上有利な会議費として計上できます。

接待の飲食代を支払ったときの仕訳は次のように考えます。

たとえば、取引先を接待するために合計3名分の飲食代20,000円を現金で支払った場合、「接待交際費を20,000円使った」という原因によって「現金が20,000円減った」という結果が生じます。このときに使われる勘定科目は、接待交際費と現金です。

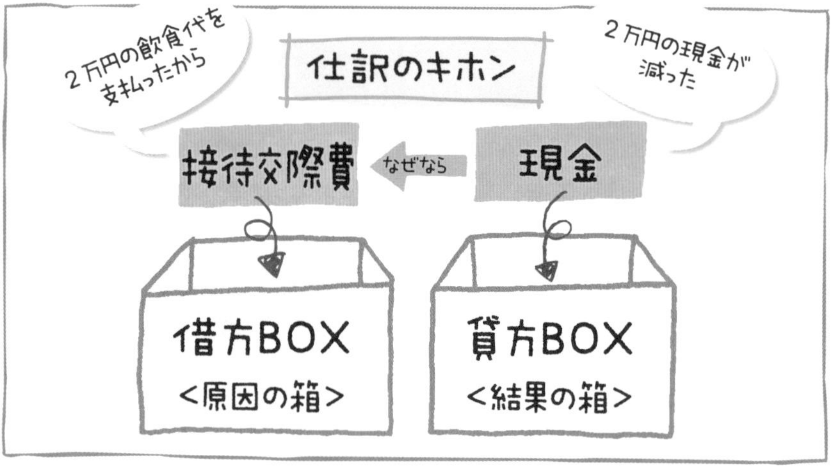

2万円の飲食代を支払ったから
仕訳のキホン
2万円の現金が減った
接待交際費
なぜなら
現金
借方BOX
<原因の箱>
貸方BOX
<結果の箱>

接待交際費が発生	借方	貸方
	↗増加！	↘減少！

↓

費用の**増加** = **左（借方）**に記入

現金という資産が減ったので、貸方に記入します。

	借方		貸方	
11/3	接待交際費	20,000	現　金	20,000

さ、どうぞ
ありがとう
ございます

こんなとき
どうする?

カードでの支払い

接待交際費を会社のクレジットカードで支払った場合、貸方は未払金となります。未払金は負債グループに属する勘定科目。商品以外の代金が未払いのときに用いられます。

	借方		貸方	
11/3	接待交際費	20,000	未払金	20,000

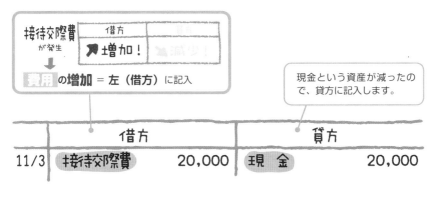

会議費

相手科目：現金

④打ち合わせをかねた軽い食事代を支払ったとき

会議や打ち合わせに関連した費用は、会議費として処理します。会議室利用料のほか、一人あたり10,000円以内の軽い食事などもこれに認められます。

打ち合わせをかねた軽い食事代を支払ったときの仕訳は次のように考えます。

たとえば、合計4名分の食事代10,000円を現金で支払った場合、「会議費を10,000円使った」という原因によって「現金が10,000円減った」という結果が生じます。このときに使われる勘定科目は、会議費と現金です。

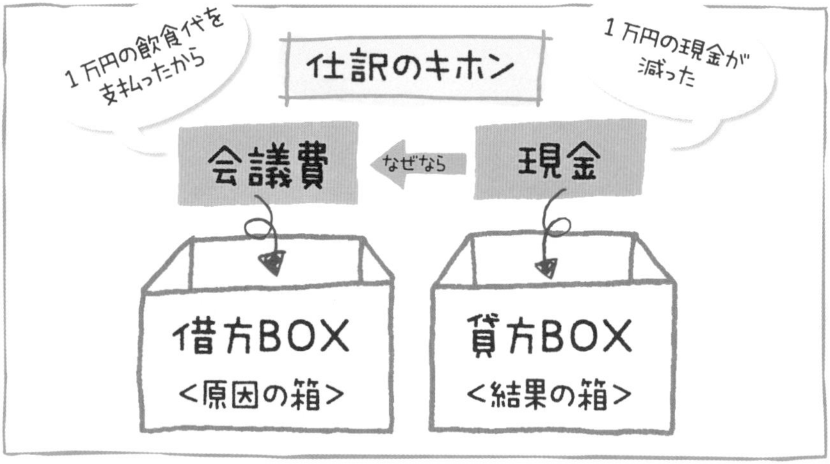

注）会議費を計上するときは、参加した人の氏名や会社名を仕訳帳の摘要欄に記入しておく必要があります。

会議費
が発生
↓
費用の増加 = **左（借方）** に記入

借方	貸方
↗増加！	↘減少！

現金という資産が減ったので、貸方に記入します。

	借方		貸方	
10/8	会議費	10,000	現　金	10,000

打ち合わせをかねた軽い食事は会議費。取引先を招いた豪勢な食事は接待交際費ですね。
もちろん、社外の打ち合わせで使った喫茶店でのコーヒー代も会議費に入るし、社内で会議をしたときのお茶代やお菓子代なども会議費に入るのよ。

こんなときどうする？

一人あたり10,000円を超えたとき

一人あたりの飲食代が10,000円を超えてしまった場合は、接待交際費として計上します。

例）2人で30,000円の飲食代を支払ったとき

	借方		貸方	
10/8	接待交際費	30,000	現　金	30,000

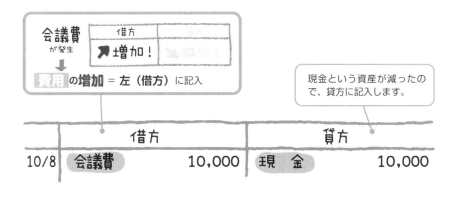

費用グループの勘定科目

通信費

相手科目：普通預金

⑤電話料金が口座から引き落とされたとき

電話料金や郵便切手代、宅配便、バイク便など、通信にかかった費用です。インターネットのプロバイダー料金、年賀状、私書箱使用料なども通信費にふくみます。

電話料金が口座から引き落とされたときの仕訳は次のように考えます。

たとえば、普通預金の口座から電話料金が9万円引き落とされた場合、「電話料金を90,000円支払った」という原因によって「普通預金が90,000円減った」という結果が生じます。このときに使われる勘定科目は、通信費と普通預金です。

今月は
9万円

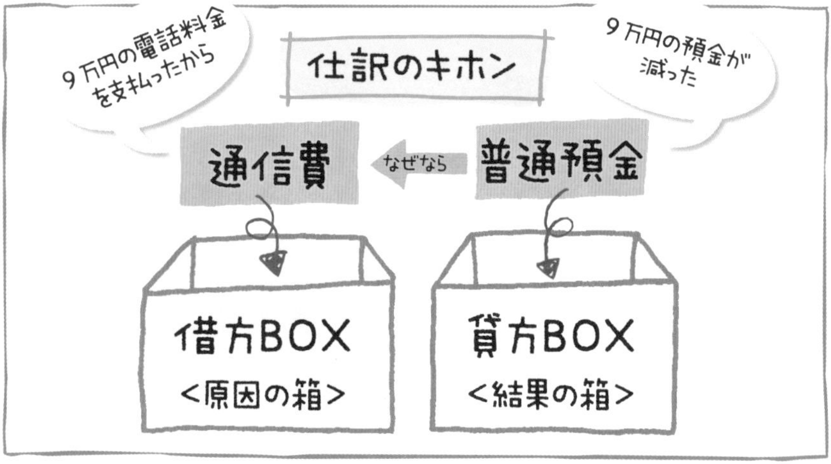

9万円の電話料金を支払ったから
仕訳のキホン
9万円の預金が減った
通信費
なぜなら
普通預金
借方BOX
<原因の箱>
貸方BOX
<結果の箱>

通信費 が発生

	借方	貸方
	↗増加！	↘減少！

↓

費用の**増加** = **左（借方）**に記入

普通預金という資産が減ったので、貸方に記入します。

	借方		貸方	
2/25	通信費	90,000	普通預金	90,000

記入のタイミングは、通信費を支払ったときです。

通信費の支払いは、口座引き落としやコンビニでの現金支払いなど、いろいろなケースがあるわ。
宣伝目的でダイレクトメールを大量に送る場合は、広告宣伝費になるので注意してね。
目的によって変わってくるんですね…。

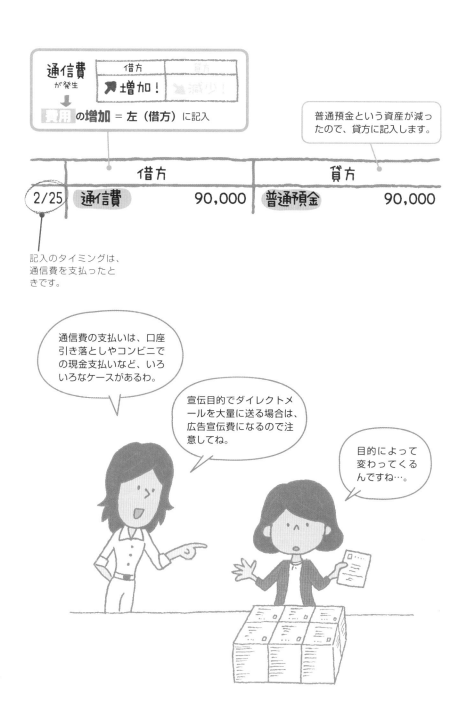

費用グループの勘定科目

租税公課

相手科目：現金

⑥収入印紙を現金で買ったとき

租税公課は税金（法人税や消費税をのぞく）を納めたときに使う勘定科目です。収入印紙を買ったときの費用（印紙税）や固定資産税などがここにふくまれます。

収入印紙を現金で買ったときの仕訳は次のように考えます。

たとえば、1万円の収入印紙を現金で買った場合、「収入印紙を10,000円買った（＝印紙税を納めた）」という原因によって「現金が10,000円減った」という結果が生じます。このときに使われる勘定科目は、租税公課と現金です。

1万円分
購入

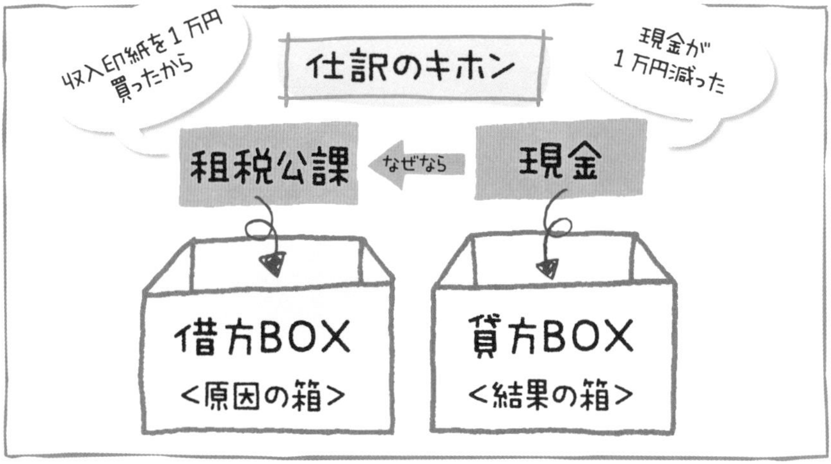
仕訳のキホン
収入印紙を1万円買ったから
現金が1万円減った
租税公課
なぜなら
現金
借方BOX
<原因の箱>
貸方BOX
<結果の箱>

租税公課
が発生

借方	貸方
↗増加！	↘減少！

↓

費用の増加 = **左（借方）**に記入

現金という資産が減ったので、貸方に記入します。

	借方		貸方	
4/3	租税公課	10,000	現　金	10,000

記入のタイミングは、現金を支払ったときです。

印紙代は税金扱いになるんですね！

法人税と消費税については、145ページで説明するわね。

KEY WORD

印紙とは？　収入印紙のこと。受け取った金額が5万円以上の場合は、領収書に貼付して、領収金額によって決められた印紙税を納めなければなりません。

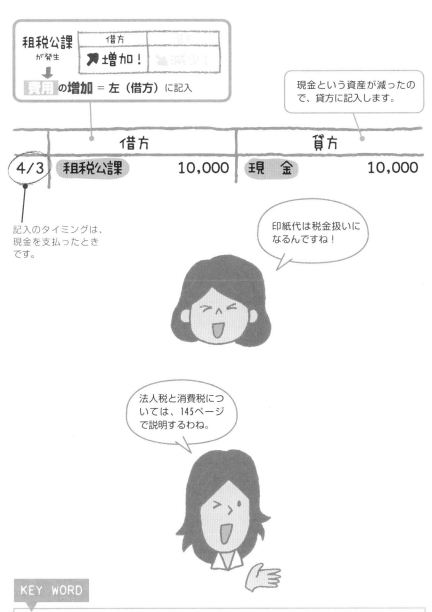

費用グループの勘定科目

水道光熱費

相手科目：普通預金

⑦電気料金が口座から引き落とされたとき

ガス、水道、電気などの使用料金は、水道光熱費という勘定科目を用いて費用として扱います。石油や灯油などの燃料代は、燃料費として別に計上する場合もあります。

電気料金が口座から引き落とされたときの仕訳は次のように考えます。

たとえば、普通預金の口座から電気料金が60,000円引き落とされた場合、「電気料金を60,000円支払った」という原因によって「普通預金が60,000円減った」という結果が生じます。このときに使われる勘定科目は、水道光熱費と普通預金です。

今月は60,000円

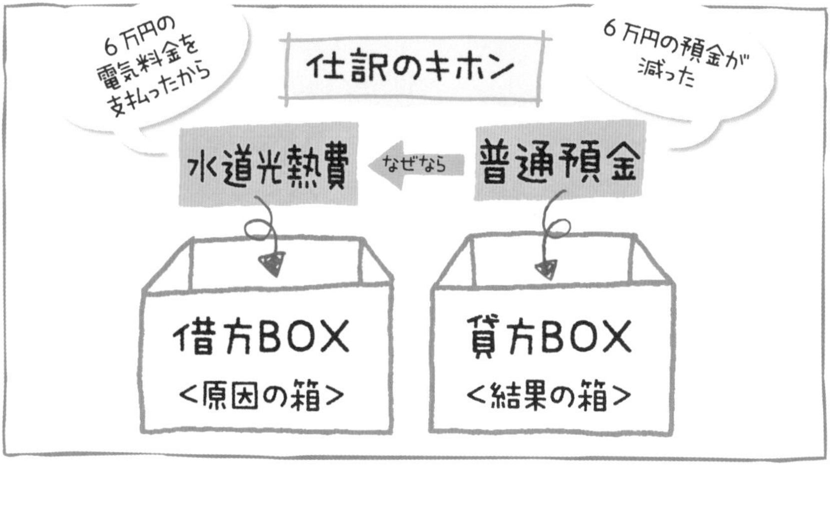

6万円の電気料金を支払ったから
仕訳のキホン
6万円の預金が減った
水道光熱費
なぜなら
普通預金
借方BOX
<原因の箱>
貸方BOX
<結果の箱>

水道光熱費が発生	借方	貸方
	↗増加！	↘減少！

↓

費用の**増加**＝**左（借方）**に記入

普通預金という資産が減ったので、貸方に記入します

	借方		貸方	
10/1	水道光熱費	60,000	普通預金	60,000

水道光熱費は、イメージしやすい経費ですね。
暖房に使う燃料代は水道光熱費だけど、社用車のガソリン代や軽油代は旅費交通費になるので注意してね。

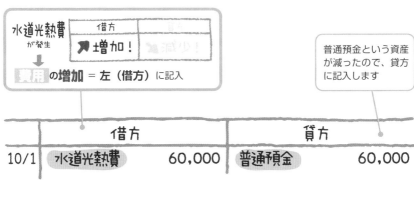

費用グループの勘定科目

消耗品費

相手科目：現金

⑧文房具を現金で買ったとき

耐用年数（139ページ参照）が1年未満、もしくは取得価額が10万円未満の事務用品や日用雑貨は、消耗品費として処理されます。耐用年数が1年以上で取得価額が10万円以上のものは、備品（資産グループ）として扱われます。

文房具を現金で買ったときの仕訳は次のように考えます。

たとえば、ボールペンを1,000円分現金で買った場合、「1,000円の消耗品を購入した」という原因によって「現金が1,000円減った」という結果が生じます。このときに使われる勘定科目は、消耗品費と現金です。

1,000円分
購入

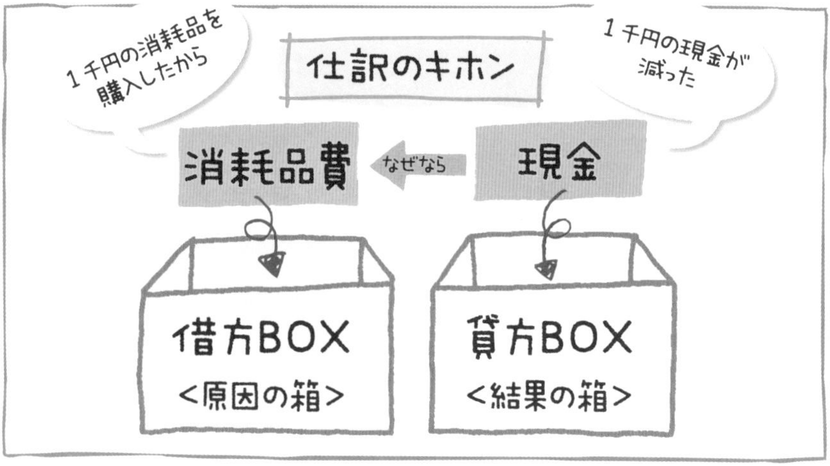
仕訳のキホン
1千円の消耗品を購入したから
1千円の現金が減った
消耗品費
なぜなら
現金
借方BOX
<原因の箱>
貸方BOX
<結果の箱>

消耗品費が発生
↓
費用の**増加** = **左（借方）**に記入

借方	貸方
↗増加！	↘減少！

現金という資産が減ったので、貸方に記入します。

	借方		貸方	
6/20	消耗品費	1,000	現　金	1,000

A4
10万円未満であれば、パソコンやその周辺機器、机やイスも消耗品費になるんですね！
文房具、電球、トイレットペーパー、電池、コピー用紙、封筒、伝票、名刺、プリンターインクなど、消耗品費として扱われる費用はいろいろあるのよ。

KEY WORD

消耗品費と消耗品

決算期末に、まだ使っていない消耗品があったら、この分は消耗品という資産グループの勘定科目で処理されます。使った分は費用グループの消耗品費となります（137ページ参照）。

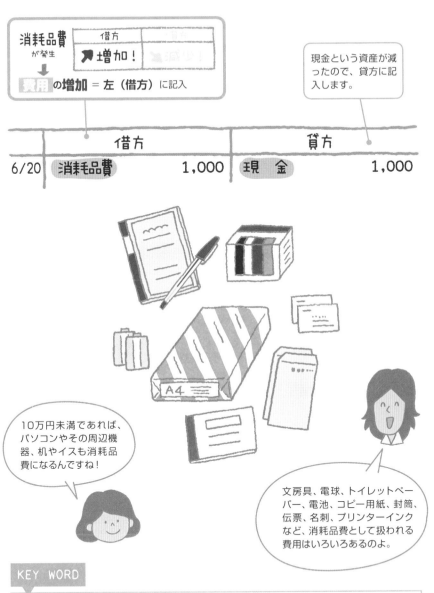

広告宣伝費

相手科目：現金

⑨社名入りカレンダーの制作費を現金で支払ったとき

広告宣伝費は、不特定多数の人に対する広告や宣伝にかかる費用です。雑誌広告の掲載料やダイレクトメールの発送料などもこれにあたります。

広告宣伝費を支払ったときの仕訳は次のように考えます。

たとえば、社名入りのカレンダーを制作し、代金300,000円を現金で支払った場合、「広告宣伝費を300,000円使った」という原因によって「現金が300,000円減った」という結果が生じます。このときに使われる勘定科目は、広告宣伝費と現金です。

CALENDER
□□□株式会社

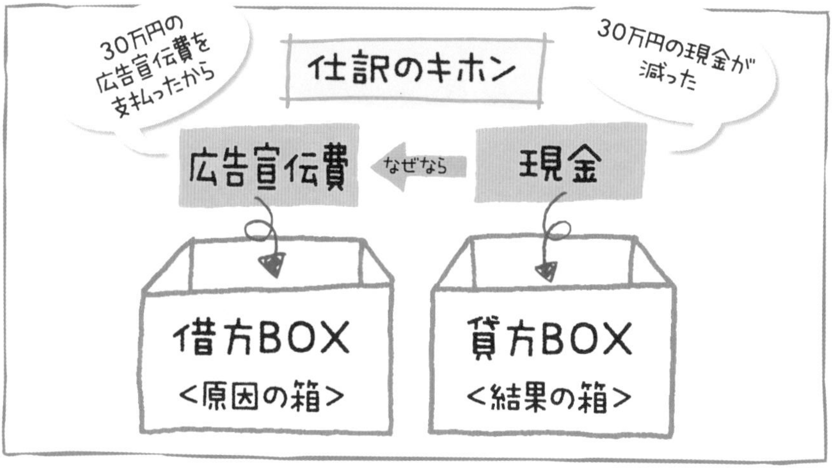
30万円の広告宣伝費を支払ったから
仕訳のキホン
30万円の現金が減った
広告宣伝費
なぜなら
現金
借方BOX
<原因の箱>
貸方BOX
<結果の箱>

広告宣伝費が発生

	借方	貸方
広告宣伝費	↗増加！	↘減少！

↓

費用の**増加** ＝ **左（借方）**に記入

現金という資産が減ったので、貸方に記入します。

	借方		貸方	
11/20	広告宣伝費	300,000	現　金	300,000

広告宣伝費は、不特定多数の人々に対する宣伝効果を意図した費用。取引先関係者など特定の人を旅行や観劇に招いた場合は、接待交際費として処理されるの。

カタログ
総合
カタログ

ダイレクトメール
クリアランス
セール！

試供品
まずはサンプルで体験！
FACE
WASH
しっとり

キャンペーン中！
ABCD！
テレビCM

←折り込みチラシ
新聞広告

すべての取引先やお客さんへの配布を目的としていれば、社名入りカレンダーや手帖も、広告宣伝費になるんですね。

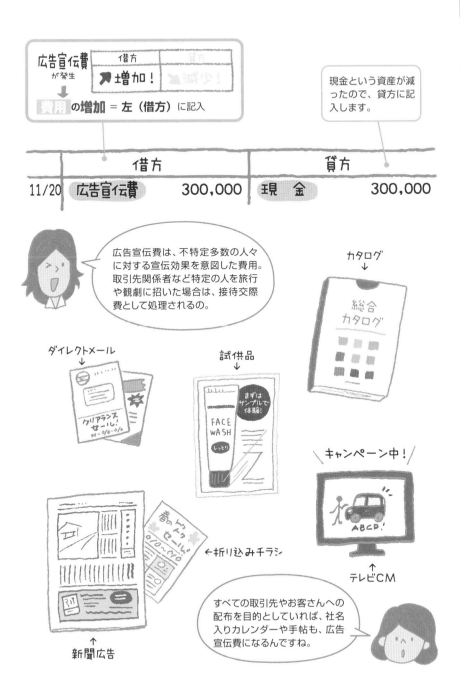

費用グループの勘定科目

福利厚生費

相手科目：現金

⑩従業員のための忘年会の費用を現金で支払ったとき

福利厚生費は、従業員が気持ちよく働ける環境をつくるための費用です。慰安を目的にした社員旅行や忘年会の費用などがここにふくまれます。

福利厚生費を支払ったときの仕訳は次のように考えます。

たとえば、従業員全員参加の忘年会を開催し、飲食代100,000円を現金で支払った場合、「福利厚生費を100,000円使った」という原因によって「現金が100,000円減った」という結果が生じます。このときに使われる勘定科目は、福利厚生費と現金です。

今年もお疲れ様でした!
カンパーイ!
カンパーイ

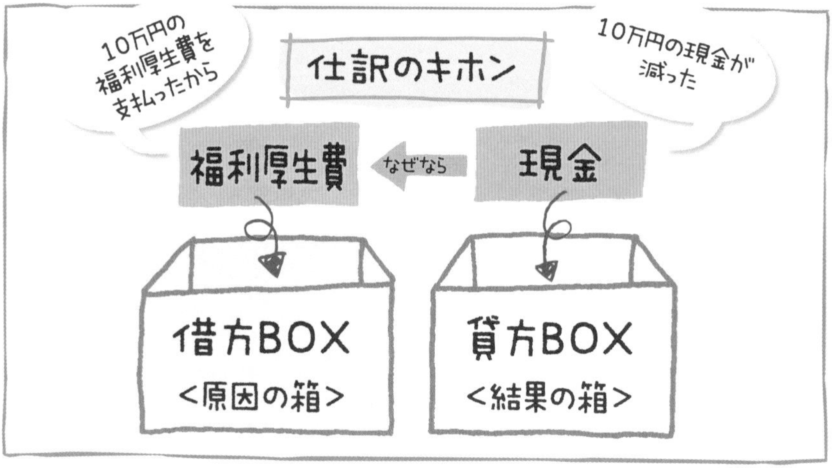

仕訳のキホン
10万円の福利厚生費を支払ったから
10万円の現金が減った
福利厚生費
なぜなら
現金
借方BOX
<原因の箱>
貸方BOX
<結果の箱>

福利厚生費 が発生

	借方	貸方
	増加！	減少！

↓

費用の**増加** = **左（借方）**に記入

現金という資産が減ったので、貸方に記入します。

	借方		貸方	
12/19	福利厚生費	100,000	現　金	100,000

ポイント 福利厚生費って何？

- 原則、従業員全員参加の慰安旅行
- 原則、従業員全員参加の忘年会や新年会、創立記念式典などの社内行事
- 従業員やその家族に対する慶弔見舞金（結婚祝い、出産祝い、香典など）
- 従業員全員のために契約したスポーツクラブの利用料

取引先を招待した懇親パーティーは、従業員が参加した場合でも接待交際費として処理されるの。

Topics

少額の経費は“小口現金”から支払う

小口現金とは、小口の経費の支払いに備えて、手元に用意しておく少額の現金のこと。資産グループに属する勘定科目です。切手代や交通費の精算など、日常的に発生する経費はここから支払います。

普通預金から小口現金を引き出したときの仕訳

普通預金から50,000円の現金を引き出し、小口現金として手提げ金庫に補充したときの仕訳は次のとおりです。この取引では、「普通預金が50,000円減った」という結果と、「小口現金が50,000円増えた」という原因が、普通預金と小口現金という勘定科目で仕訳されます。

	借方		貸方	
2/1	小口現金	50,000	普通預金	50,000

小口現金は資産グループに属する勘定科目なので、増加したら借方に記入します。

社長室の金庫に保管されているような現金を、小口現金に移し替えた場合は、貸方の勘定科目が現金になるのよ。
手提げ金庫

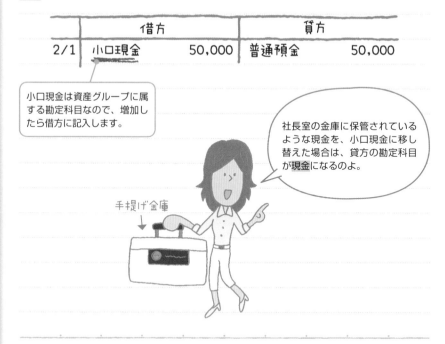

小口現金から消耗品費を支払ったときの仕訳

小口現金から600円の消耗品費を支払ったときの仕訳は次のとおりです。

この取引では、「小口現金が600円減った」という結果と、「600円の消耗品を購入した」という原因が、小口現金と消耗品費という勘定科目で仕訳されます。

	借方		貸方	
2/2	消耗品費	600	小口現金	600

小口現金という資産が減ったので、貸方に記入します。

現金が合わないときの仕訳

帳簿上の残高（帳簿残高）と実際の現金残高（実際残高）が一致しないときは、現金過不足という勘定科目を使って次のような仕訳処理を行います。

現金が5,000円足りない!

実際残高 < 帳簿残高 の場合

	借方		貸方	
12/9	現金過不足	5,000	現　金	5,000

現金不足が生じたら、借方に現金過不足を記入します。

現金が5,000円多い!

実際残高 > 帳簿残高 の場合

	借方		貸方	
12/9	現　金	5,000	現金過不足	5,000

現金過剰が生じたら、貸方に現金過不足を記入します。

費用グループの勘定科目

給与

相手科目：預り金、現金

⑪社員に給料を現金で支払ったとき

給与は従業員に支払われる給料や諸手当です。アルバイトやパートなどの非正規社員に支払われる給料は雑給、ボーナスなどの一時金は賞与として扱われます。

社員に給料を支払ったときの仕訳

給料

会社が200,000円の給料を社員に支給し、このうち税金や社会保険料56,000円を天引きして、差額の144,000円を現金で手渡したときの仕訳は次のとおりです。

この取引では、「給料を200,000円支払った」という原因によって「現金が144,000円減った」「預り金が56,000円増えた」という結果が生じ、給与、現金、預り金という勘定科目で仕訳されます。

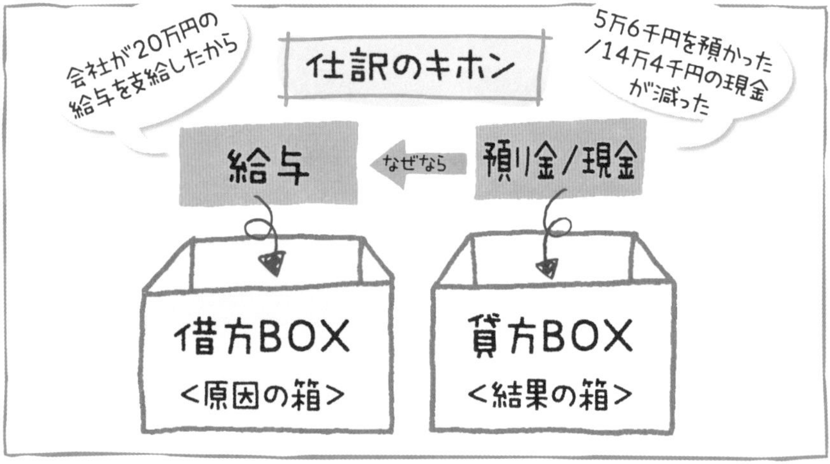

会社が20万円の給与を支給したから
仕訳のキホン
5万6千円を預かった/14万4千円の現金が減った
給与
なぜなら
預り金/現金
借方BOX
<原因の箱>
貸方BOX
<結果の箱>

給与 が発生
↓
費用の増加 = 左（借方）に記入

借方	貸方
増加！	減少！

現金という資産が減ったので、貸方に記入します。

	借方		貸方	
7/25	給　与	200,000	現　金	144,000
			預り金（社会保険料）	20,000
			預り金（所得税）	20,000
			預り金（住民税）	16,000

社員から一時的に預かっているお金（＝将来支払わなければいけないお金）が発生
↓
負債の増加 = 右（貸方）に記入

会社が給料から所得税（国税）を差し引き、本人のかわりに税務署などに納めることを**源泉徴収**といい、住民税を天引きして地方自治体に納めることを**特別徴収**というのよ。

なるほど。差引支給額の144,000円が“手取り”というわけですね。

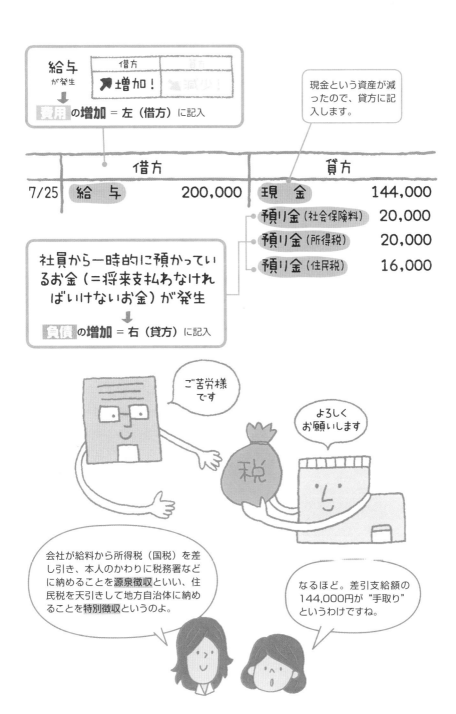

預り金を納付したときの仕訳

社員から預かった所得税や住民税は、社員のかわりに会社が納付しなければなりません。そのときの仕訳は次のように考えます。

この取引では、「現金が36,000円減った」という結果と、その原因として「預り金が36,000円減った」と考えます。そのときに使われる勘定科目は、現金と預り金です。

社会保険料は、社員が負担する金額に加え、会社側も負担しなければなりません。その会社が負担する社会保険料のことを法定福利費といいます。

この法定福利費を加えた社会保険料を現金で納付したときの仕訳は次のように考えます。

この取引では、「社員から預かった20,000円が減り、会社が法定福利費20,000円を支払った」という原因から、「現金が40,000円減った」という結果が生じます。そのときに使われる勘定科目は、預り金、法定福利費、現金です。

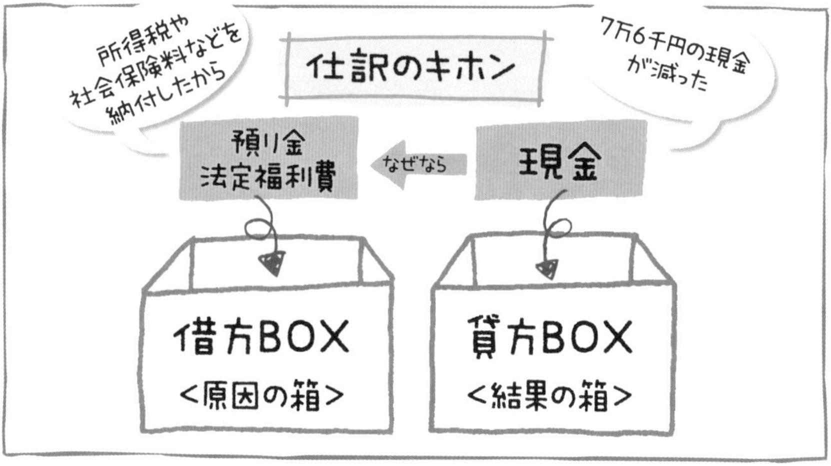

現金という資産が減ったので、貸方に記入します。

	借方		貸方	
8/10	預り金（所得税）	20,000	現　金	36,000
	預り金（住民税）	16,000		
8/31	預り金（社会保険料）	20,000	現　金	40,000
	法定福利費	20,000		

社会保険料は翌月末、所得税と住民税は翌月の10日までに納付します。

納付を済ませたことにより、預り金という負債が減少

↓

負債の減少 = **左（借方）** に記入

会社が負担する社会保険料は法定福利費という費用グループの勘定科目で仕訳するのよ。

支払日よりも前に給料を計上する場合

未払金は負債グループの勘定科目。発生したら貸方に記入します。

●給料計算締切日

7/15	給　与	200,000	未払金	160,000
			預り金	40,000

●給料支給日

7/25	未払金	160,000	現　金	160,000

未払金がなくなったので借方に記入します。

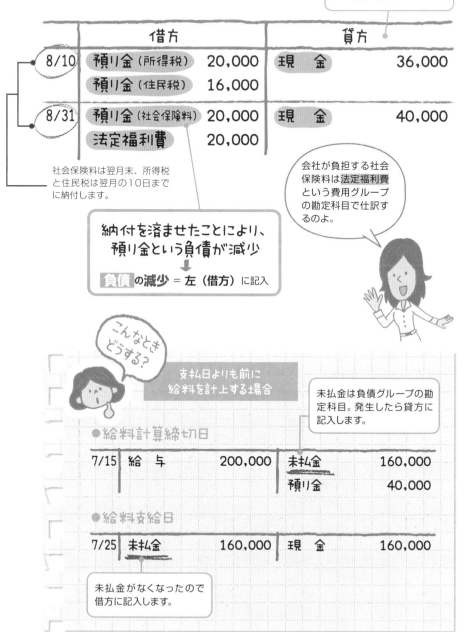

費用グループの勘定科目

支払利息

相手科目：普通預金

⑫利息が口座から引き落とされたとき

お金の賃借には利息が発生します。借入金にかかる利息、つまり、お金を借りた側が支払う利息を支払利息といいます。利息を受け取ったときの仕訳については080ページを参照のこと。

借入金にかかる利息を支払ったときの仕訳は次のように考えます。

たとえば、5,000円の利息が口座から引き落とされた場合、「利息5,000円が引き落とされた」という原因によって「普通預金が5,000円減った」という結果が生じます。このときに使われる勘定科目は、支払利息と普通預金です。

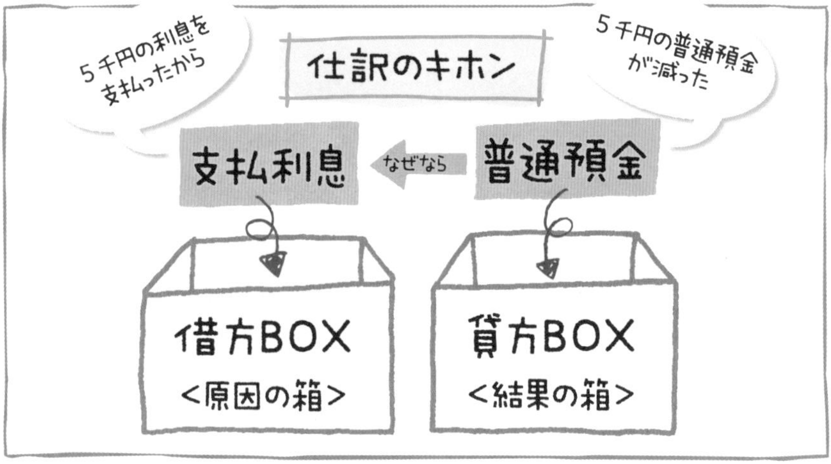

支払利息 が発生

借方	貸方
増加！	減少！

↓

費用の増加 = 左（借方） に記入

普通預金という資産が減ったので、貸方に記入します。

	借方		貸方	
1/30	支払利息	5,000	普通預金	5,000

記入のタイミングは、利息が引き落とされたときよ。

こんなときどうする?

借入金の返済とともに利息を支払った場合

借入金の返済とともに、利息を普通預金から支払ったときの仕訳は次のとおりです。

3/20	借入金	50,000	普通預金	55,000
	支払利息	5,000		

借入金という負債が減ったので、借方に記入します。

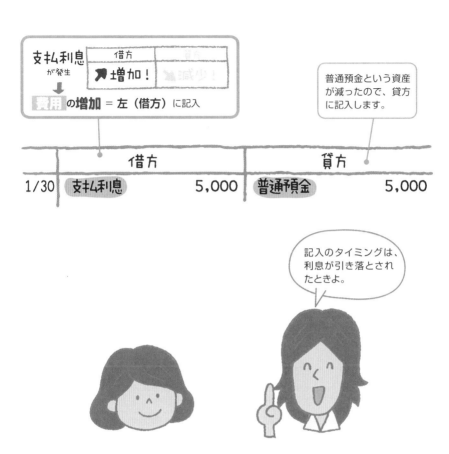

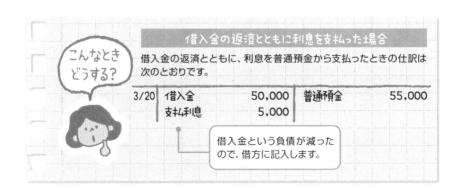

費用グループの勘定科目

仕入（逆仕訳）

⑬掛けで仕入れた商品を返品したとき

商品を返品したときは、借方と貸方を入れ替えた逆仕訳を行います。左右反対の仕訳を行うことで、その取引はなかったことになります。

まず、商品を掛けで仕入れたときの仕訳は次のように考えます。

たとえば、40,000円の商品を掛けで仕入れた場合、「商品を40,000円で仕入れた」という原因によって「買掛金が40,000円増えた」という結果が生じます。このときに使われる勘定科目は、仕入と買掛金です。

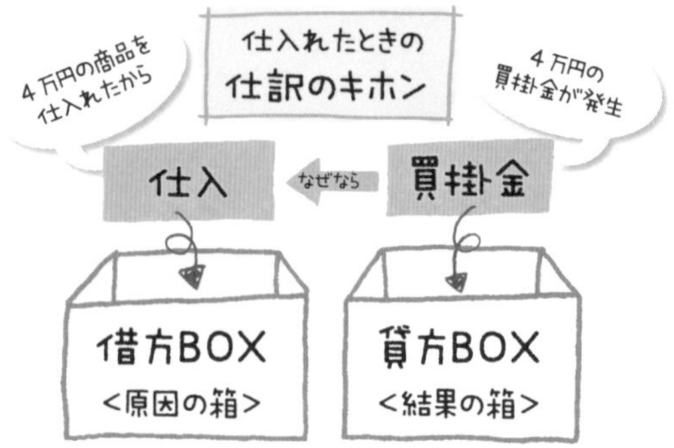

	借方		貸方	
9/4	仕　入	40,000	買掛金	40,000

買掛金という負債が増えたので、貸方に記入。仕入は費用グループに属する勘定科目なので、借方に記入します。

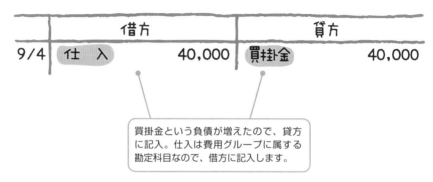

商品を返品したときの仕訳は以下のとおり。ここでは「40,000円の商品を返品した」という原因によって、「買掛金が40,000円減った」という結果が生じます。

このときに使われる勘定科目も仕入と買掛金。借方と貸方で左右反対の仕訳を行って、取引がなかったことにすることを逆仕訳といいます。

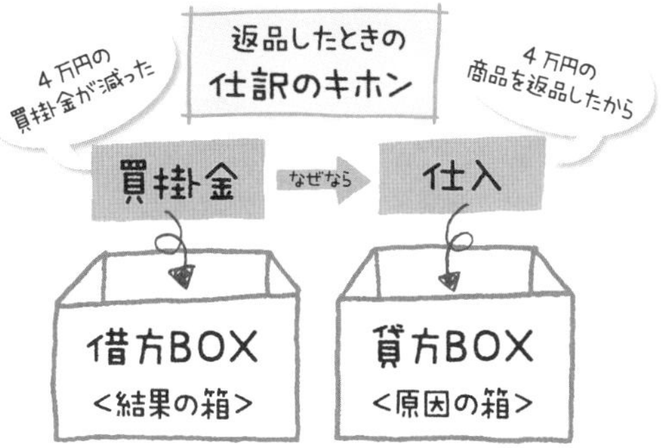
返品したときの
仕訳のキホン
4万円の
買掛金が減った
4万円の
商品を返品したから
買掛金
なぜなら
仕入
借方BOX
<結果の箱>
貸方BOX
<原因の箱>

	借方		貸方	
9/4	仕　入	40,000	買掛金	40,000
9/9	買掛金	40,000	仕　入	40,000

返品によって買掛金という
負債が消滅
↓
負債の減少 = **左（借方）** に記入

仕入4万円の商品を
返品した
↓
費用の減少 = **右（貸方）** に記入

082ページの収益グループで習った「売上の逆仕訳」と同じ要領ですね！

注）
商品を返品したときの仕訳では、仕入のかわりに仕入返品という勘定科目が用いられることもあります。

Topics

売上・仕入の値引き

売上や仕入の処理を行った後、商品の値引きがあったときは、左右の勘定科目を入れ替えた逆仕訳を行います。

販売した商品の一部を、後日、値引きしたとき

例）50,000 円で販売した商品の一部に不良品があったことが判明したため、後日、取引先に対して 10,000 円の値引きを行ったときの仕訳は次のとおりです。

	借方		貸方	
3/3	売掛金	50,000	売　上	50,000
3/7	売　上	10,000	売掛金	10,000

値引きによって売上という収益が減少したので、借方に記入します。売上値引という勘定科目を用いることもあります。

値引きによって売掛金という資産が減少したので、貸方に記入します

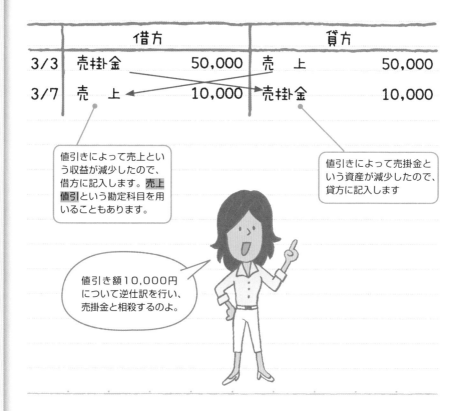

値引き額10,000円について逆仕訳を行い、売掛金と相殺するのよ。

仕入れた商品の一部が、後日、値引きされたとき

例）20,000 円で仕入れた商品の一部に汚損があったため、後日、取引先から4,000 円の値引きを受けたときの仕訳は次のとおりです。

	借方		貸方	
9/20	仕　入	20,000	買掛金	20,000
9/28	買掛金	4,000	仕　入	4,000

値引きによって買掛金という負債が減少したので、借方に記入します。

値引きによって仕入という費用が減少したので、貸方に記入します。仕入値引という勘定科目を用いることもあります。

ポイント

売上・仕入の値引き

↓

値引き分の逆仕訳！

逆仕訳によって、買掛金から値引き額が差し引かれたことになるわけですね。

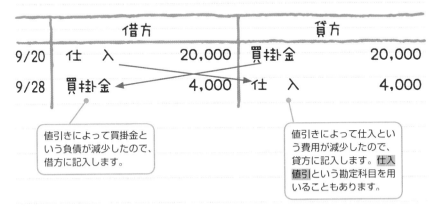

TOPICS

消費税の経理処理

帳簿には消費税に関する情報もあわせて記帳する必要があります。消費税の記帳のしかたには税込処理方式と税抜処理方式があり、会社が決めたルールにしたがいますが、ここでは消費税額を売上や仕入などに含めて計算する税込処理方式のやりかたを紹介します。

標準税率と軽減税率を分けて計算する

消費税の税率には、標準税率（10%）と軽減税率（8%）があります。税率が8%となる消費税の軽減税率の対象は、①飲食料品（酒類・外食を除く）、②定期購読契約で販売される週２回以上発行される新聞です。

消費税を正しく計算するためには、消費税率が標準税率なのか軽減税率なのかを分けて記録しなければなりません。消費税の申告・納税時（145ページ参照）に、10%と8%の税率をそれぞれ計算してから合計額を出す必要があるからです。

●現金出納帳への記載①（軽減税率の場合）

帳簿には、取引の内容とともに消費税についても記帳します。帳簿に記載する事項は、取引相手の名称、取引を行った日付、取引内容、税率ごとの取引金額です。帳簿は、請求書などとともに一定期間（原則として7年間）保存する必要があります。

軽減税率の対象である場合は、帳簿の摘要欄に「※」などの記号を記載し、軽減税率の対象であることを明らかにします。それにより、消費税の申告時にどれが8%かがわかるのです。

なお、税抜処理方式の場合は、本体価格と消費税

額を分けて記載します。仕訳では仕入にかかる消費税を仮払消費税、売上にかかる消費税を仮受消費税という勘定科目で記帳し、決算時に仮払消費税と仮受消費税を相殺（仕入税額控除：次ページ参照）して、納付する消費税額（勘定科目は未払消費税）を求めます。

〔現金出納帳への記載例〕税込処理方式

[現金出納帳]

※は軽減税率対象

日付	摘要	科目	収入	支出	現金残高
9月4日	○○商事から現金で売上	売上			
	お茶1ケース　※		3,240		
	ガムテープ		330		16,460

軽減税率の対象になるものに「※」印をつけるのね。

KEY WORD

仮払消費税と仮受消費税

仮払消費税とは、仕入や経費などの代金にプラスして支払った消費税の勘定科目。仮受消費税とは、売上金などのときにプラスで受け取った消費税を経理処理するときに使う勘定科目です。どちらも税抜処理方式を採用している場合に用いられます。

インボイス発行事業者以外からの仕入や経費

会社が納める消費税は、売上の際に受け取った消費税額から、仕入や経費の支払いの際にかかった消費税額を差し引いて求めます（このしくみを仕入税額控除といいます）。そのときに必要になるのが、取引相手が発行するインボイス（適格請求書）と呼ばれる書類です。

ただし、インボイスを受け取るには、相手が「インボイス発行事業者」でなければならず、「インボイス発行事業者以外の相手」からの仕入や経費は、原則として会社は仕入税額控除を受けることができません。

そのため、「インボイス発行事業者以外の相手」からの仕入や経費については、納税する消費税を計算しやすいように、それがわかるように記帳します。

なお、フリーランスや個人経営の小さなお店などは、インボイス発行事業者ではないケースが少なくないため、仕入税額控除ができない可能性があります（ただし、令和 11 年９月までは、取引相手がインボイス発行事業者でなくても一定割合を仕入税額とみなして控除できる経過措置が設けられています）。

ちなみにインボイス（適格請求書）には、①インボイスの交付先の名前、②インボイスの発行者の名前とインボイス登録番号、③取引年月日、④取引内容（軽減税率の対象品目である旨）、⑤税率ごとの取引金額、⑥税率ごとの消費税額などが記載されています。

納税する消費税額 ＝ 売上の際に受け取った消費税額 － 仕入や経費の支払いの際にかかった消費税額

仕入税額控除をする

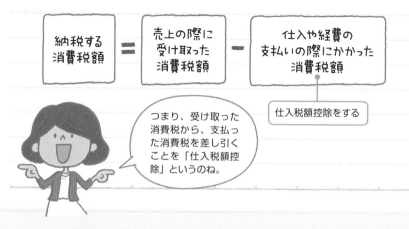

●現金出納帳への記載②（インボイス以外の場合）

「インボイス発行事業者以外の相手」からの仕入や経費である場合は、帳簿の摘要欄に「★」などの記号を記載して、「インボイス発行事業者」との取引と区別し、取引の内容も明らかにしておきます。

「インボイス発行事業者以外の相手」からの仕入や経費は、税込処理の場合は、そのまま記帳し、消費税の申告・納税時に★印のついた部分の消費税を集計し、その後、経過措置のうち認められない消費税額の20%分を消費税の納税額に加えます。税抜処理をする場合は、認められる80%分を仮払消費税という科目を使い、認められない20%分は仕入や経費に記入し、消費税の申告・納税時に消費税の納税額に加えます。

〔現金出納帳への記載例〕税込処理方式

[現金出納帳]

★インボイス発行事業者以外の人からの仕入（経過措置 80%）

日付	摘要	科目	収入	支出	残高
9月4日	○○商会から現金で仕入（弁当容器代）★	仕入	11,000		108,600

消費税分の1,000円のうち、認められない200円は、消費税の申告時に、納税する消費税に加える。

〔現金出納帳への記載例〕税抜処理方式

[現金出納帳]

★インボイス発行事業者以外の人からの仕入（経過措置 80%）

日付	摘要	科目	収入	支出	残高
9月4日	○○商会から現金で仕入（弁当容器代）★	仕入	10,200		
		仮払消費税	800		108,600

消費税分の1,000円のうち、800円を仮払消費税として記帳し、10,200円のうち、認められない200円は、消費税の申告時に、納税する消費税に加える。

Column

【間違った仕訳を訂正するとき】

誤って記入した仕訳を正しい仕訳に訂正することを訂正仕訳といいます。訂正仕訳の金額は、間違えた仕訳を取り消した後、正しい仕訳を行うことで、求めることができます。

●勘定科目を間違えたとき

例）40,000円の商品を掛けで売り上げたとき、借方の勘定科目を買掛金と誤記入してしまいました。そのような場合は、次のような手順で訂正仕訳を行います。

間違った仕訳		借方		貸方	
	9/4	買掛金	40,000	売　上	40,000

①最初に、間違った仕訳を取り消します。

売　上	40,000	買掛金	40,000

②次に、正しい仕訳します。

売掛金	40,000	売　上	40,000

訂正仕訳がこのような形になるのは、①の借方と②の貸方が同じ金額の勘定科目で、相殺されるからよ。

訂正仕訳		借方		貸方	
	9/4	買掛金	40,000	売　上	40,000
	9/4	売掛金	40,000	買掛金	40,000

●金額を間違えたとき

例）電話料金が10万円引き落とされたとき、金額を16万円と誤記入してしまいました。そのような場合は、次のような手順で訂正仕訳を行います。

間違った仕訳		借方		貸方	
	6/1	通信費	160,000	普通預金	160,000

①最初に、間違った仕訳を取り消します。

普通預金	160,000	通信費	160,000

②次に、正しい仕訳します。

通信費	100,000	普通預金	100,000

訂正仕訳は、①と②の金額を計算して求めるんですね。

訂正仕訳		借方		貸方	
	6/1	通信費	160,000	普通預金	160,000
	6/1	普通預金	60,000	通信費	60,000

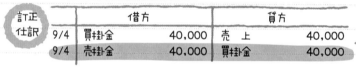

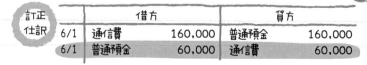

PART 3

決算のしくみ

決算とは？

期末になったら、決算書を作成して1年間の経営成績や財務状況をまとめます。そのために必要な一連の手続きが決算です。総勘定元帳から試算表や精算表をつくり、貸借対照表や損益計算書が完成するまでの流れを説明しましょう。

会計年度とは？

決算は、1年間を一つの区切りとして、その期間での取引や財産の集計を行います。会計年度の始まりの日を**期首**、終わりの日を**期末**（または**決算日**）、期首と期末の間を**期中**といいます。

例）3月期決算の場合

4月1日
当期
3月31日
前期←
会計期間
→次期
期首
期中
期末
（決算日）

会計ソフト
パソコンの会計ソフトを使っている会社は、精算表の作成は不要。仕訳さえ入力すれば、仕訳帳、総勘定元帳、試算表、貸借対照表、損益計算書がカンタンにつくれるのよ。

KEY WORD

3月期決算	多くの場合、4月から翌年3月までの1年間を1会計期間としています。これを3月期決算といいます。会社によっては、1月から12月までの1年間を1会計期間とする12月期決算などもあります。

決算書が完成するまでの流れ

決算書は、おもに貸借対照表と損益計算書からできています。

多くの会社では、月ごとに試算表を作成。期末になったら決算整理と呼ばれるものを行って、精算表をつくり、貸借対照表や損益計算書を完成させます。

取引が発生!

↓

仕訳をきる →026ページ参照

↓

仕訳帳（または伝票）に記入 →026ページ参照

↓

総勘定元帳などに転記する →028ページ参照

↓

毎月 **試算表を作成** →130ページ参照

↓

期末 **決算整理を行う** →132ページ参照

↓

精算表をつくる →146ページ参照

↓

損益計算書や貸借対照表が完成 →152ページ参照

❶試算表を作成する

試算表とは、月ごとなどに試算する会社の成績表のことです。試算表を作成するには、仕訳帳から元帳への転記が正しくなされているかを確認することが大切。現金や売上などの合計額がまとまっている試算表を見れば、そのときどきの会社の財産や経営状態をチェックできます。

総勘定元帳から試算表をつくる

試算表は総勘定元帳をもとにして作成します。

試算表は3つに大別され、各勘定科目の借方と貸方の合計額を集計したものを合計試算表、差額を計算して残高を集計したものを残高試算表、その両方を合わせて一覧にまとめたものを合計残高試算表といいます。

〔総勘定元帳〕

現　金

資本金	1,000,000	普通預金	200,000
売掛金	300,000	水道光熱費	10,000
		通信費	60,000
		給　与	90,000
		支払家賃	70,000

普通預金

現　金	200,000		

売掛金

売　上	500,000	現　金	300,000
売　上	400,000		

買掛金

		仕　入	350,000
		仕　入	450,000

資本金

		現　金	1,000,000

売　上

		売掛金	500,000
		売掛金	400,000

仕　入

買掛金	350,000		
買掛金	450,000		

水道光熱費

現　金	10,000		

通信費

現　金	60,000		

給　与

現　金	90,000		

支払家賃

現　金	70,000		

資産グループと費用グループの残高は借方（左）に、負債グループ、純資産グループ、収益グループの残高は貸方（右）に記入するのよ。

合計残高試算表

令和○年 3月 31日

借方残高	借方合計	勘定科目	貸方合計	貸方残高
870,000	1,300,000	現　金	430,000	
200,000	200,000	普通預金		
600,000	900,000	売掛金	300,000	
		買掛金	800,000	800,000
		資本金	1,000,000	1,000,000
		売　上	900,000	900,000
800,000	800,000	仕　入		
10,000	10,000	水道光熱費		
60,000	60,000	通信費		
90,000	90,000	給　与		
70,000	70,000	支払家賃		
2,700,000	3,430,000	合　計	3,430,000	2,700,000

各勘定科目の借方と貸方をそれぞれ合計。借方合計と貸方合計の差額を、残高として左右いずれかに記入します。各勘定科目の合計は、3,430,000円で左右一致。借方残高と貸方残高の合計額も2,700,000円で一致します。

会計ソフトなら試算表を自動的につくってくれるわ。

❷決算整理とは？

毎月作成する試算表は、そのときどきの会社の財産や経営状態を大ざっぱにチェックするためのものです。期末になったらさらに正確な数字を割り出して、決算書を作成しなければなりません。ここでは1年間の経営活動を終えた時点で必要になる、決算整理について説明します。

おもな決算整理項目は4つ

決算整理が必要な項目は、おもに4つ。期末になったら、それぞれについて仕訳を行い、正確な数字を出します。

決算整理の内容は、会社の規模や業種などによって多少違ってくることもあるの。

①棚卸と売上原価の確定→133ページ参照

期首の在庫や期末の売れ残りを把握して、売上原価を計算します。

使用する勘定科目

繰越商品（資産グループ）／**仕入**（費用グループ）

②貸倒引当金の計上→136ページ参照

取引先から回収できなくなりそうな金額を見積もって、費用として処理します。

使用する勘定科目

貸倒引当金繰入（費用グループ）／**貸倒引当金**（資産グループ）

③固定資産の減価償却→138ページ参照

コピー機やクルマといった固定資産の価値を、毎年少しずつ費用にして減らしていきます。

使用する勘定科目

減価償却費（費用グループ）／**減価償却費累計額**（資産グループ）

④収益と費用の整理→142ページ参照

経過勘定という4種類の勘定科目を使って、当期の費用や収益を正確に計算します。

使用する勘定科目

前受収益（負債グループ）／**前払費用**（資産グループ）
未収収益（資産グループ）／**未払費用**（負債グループ）

決算整理の仕訳①

棚卸と売上原価の確定

期首の在庫や期末の売れ残りを把握して、売上原価を計算するための処理です。棚卸（たなおろし）とは、商品・製品・原材料などの在庫の数量を調べ、帳簿上にある在庫の数量と一致するかを確認する作業。在庫を確認したら、期末商品棚卸高を確定して、売上原価の計算を行います。

●売上原価の確定

棚卸によって在庫を確認したら、売上原価の計算を行います。

売上原価とは、売上高に対する商品の仕入原価のこと。期首の在庫が60,000円、当期の仕入が70,000円、期末時点での在庫が40,000円あった場合、売上原価は次の計算で求めることができます。

期首商品棚卸高 60,000円 ＋ 当期仕入高 70,000円 － 期末商品棚卸高 40,000円 ＝ 売上原価 90,000円

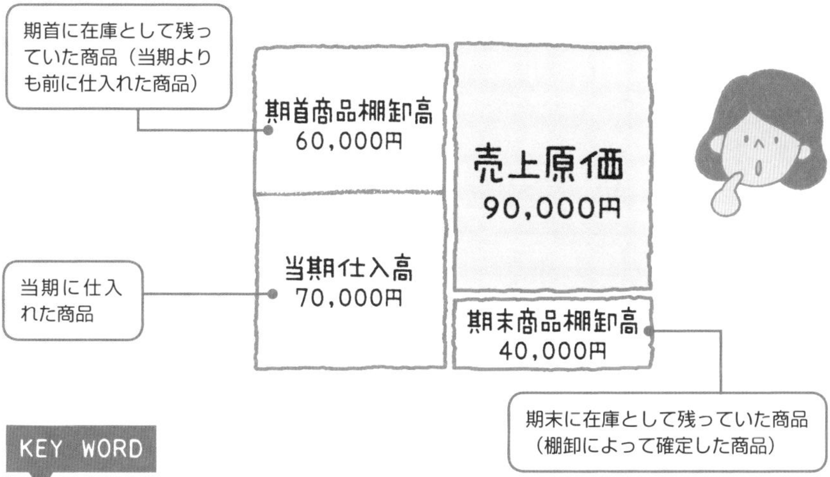
期首に在庫として残っていた商品（当期よりも前に仕入れた商品）
期首商品棚卸高
60,000円
当期に仕入れた商品
当期仕入高
70,000円
売上原価
90,000円
期末商品棚卸高
40,000円
期末に在庫として残っていた商品（棚卸によって確定した商品）

KEY WORD

棚卸とは？

帳簿の数字と実際の在庫の数量は同じはずですが、盗難や紛失、記帳ミスなどの原因により一致しないことがあります。そのため、決算では、棚卸をして在庫の数量を調べ、帳簿上の数字と合っているかを確認します。

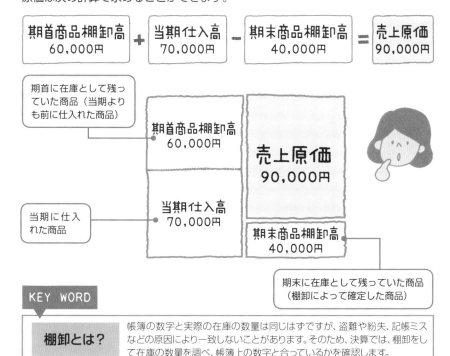

ポイント 売上総利益を計算してみよう！

売上原価を求めたら、次に売上総利益を計算してみましょう。売上総利益とは、売上高から売上原価を差し引いた利益のことで、粗利益（あらりえき）ともいいます。この粗利益から経費を引いたり、本業以外の収益を加えたりしていきますが、まず損益計算書のベースとなるのは、この粗利益です（154ページ参照）。売上高が150,000円の場合、売上総利益は次の計算式で求めることができます。

売上高 150,000円 － 売上原価 90,000円 ＝ 売上総利益 60,000円

売上総利益は、粗利益ともいいます。

●決算整理仕訳

決算日に棚卸をして期末商品棚卸高を求めたら、決算整理のための仕訳を行います（本書ではこれを決算整理仕訳といいます）。

期首の在庫商品が60,000円、期末の在庫商品が40,000円だったときの仕訳は以下のとおりです。

〔決算整理仕訳〕

借方		貸方	
仕　入	60,000	繰越商品	60,000
繰越商品	40,000	仕　入	40,000

売上原価 ＝ 期首商品棚卸高 ＋ 当期仕入高 − 期末商品棚卸高

期首商品棚卸高を当期仕入高に加える仕訳です。当期の期首商品棚卸高60,000円は、繰越商品（資産グループ）という勘定科目で処理。まずはこれを仕入という勘定科目に振り替えて借方に記入し、繰越商品をゼロにします。

ポイント 最初に、期首に在庫として残っていた商品を当期にふくめます。なぜなら、当期に販売した商品を仕入れるのにかかった費用は、当期分にしなければならないからです。

売上原価 ＝ 期首商品棚卸高 ＋ 当期仕入高 − 期末商品棚卸高

期末商品棚卸高を当期仕入高から減らす仕訳です。期末商品棚卸高40,000円を繰越商品として借方に記入。この金額が次期の期首商品棚卸高になって繰り越されます。さらに、売上原価を計算するために仕入を貸方に記入します。

ポイント 次に、期末に在庫として残っていた商品を次期に繰り越すために、仕入から除きます。なぜなら、次期に売る予定の商品を仕入れるのにかかった費用は、次期分にしなければならないからです。

商品を仕入れてないのに、なんで仕入が増えたり減ったりするんですか?
仕入の勘定科目を用いるのは、売上原価を計算するための技術的な処理なのよ。あまり深く考えずに、134ページの仕訳の形をおぼえてしまうといいわ。

決算整理の仕訳②

貸倒引当金の計上

取引先が倒産するなどして、売掛金や貸付金の回収が見込めなくなることを「貸倒れ」といいます。貸倒れの可能性がある場合は、回収できなくなりそうな金額をあらかじめ見積もって、決算のときに期中の費用として計上する仕訳を行います。

●もしものときに備えて貸倒引当金を用意する

貸倒れが発生して債権が回収できなくなると、会社は相応の被害をこうむります。最悪の場合は、損失を抱えて自分の会社も倒産ということになりかねません。そういった事態に陥らないために、以下のような仕訳を行って決算書に組み込み、もしものときに備えます。

売掛金が600,000円あったとし、そのうち30,000円の貸倒れが見込まれるときの決算整理仕訳は次のとおりです。

〔決算整理仕訳〕

借方		貸方	
貸倒引当金繰入	30,000	貸倒引当金	30,000

30,000円の貸倒れを見越して、借方に貸倒引当金繰入（費用グループ）という勘定科目を記入。相手科目には貸倒引当金（資産グループ）が入ります。

貸倒れになる可能性がある債権には、売掛金、受取手形、貸付金などがあるわ。
貸倒れになる前に、費用として処理しておくんですね。

Topics

消耗品の決算整理仕訳

消耗品は、使った分を消耗品費として費用に計上しますが、期末までに使っていない分は消耗品という資産グループの勘定科目に振り替えます。

まずは、5,000円分のノートを現金で買ったときの仕訳です。

消耗品を買ったときの仕訳

	借方		貸方	
7/15	消耗品費	5,000	現　金	5,000

期末になったら、使っていない分を消耗品という資産グループの勘定科目に振り替えます。

たとえば、2,000円分のノートを使い切って、3,000円分のノートが残ったときの仕訳は、次のとおりです。この取引では、「3,000円の消耗品（資産グループ）が増えた」という結果と、その原因となる「3,000円の消耗品費（費用グループ）が減った」という仕訳を行います。

期末の仕訳

	借方		貸方	
3/30	消耗品	3,000	消耗品費	3,000

残っている3,000円分のノートを、資産グループの消耗品に振り替えます。

消耗品費（費用グループ）が3,000円分減ったので、貸方に記入します。

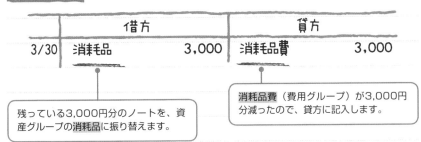

決算整理の仕訳③

固定資産の減価償却

減価償却とは、使うほどに価値が下がっていく固定資産について、使用可能な期間を想定して、帳簿上の価値も少しずつ減らしていく手続きのことです。期末になったら減価償却費を費用として計上します。

●減価償却とは？

固定資産は、購入後すぐに全額を費用として計上することはできません。固定資産を購入したら、建物、備品、車両運搬具など資産グループの勘定科目を使って仕訳します。

たとえば、コピー機を200,000円で現金購入したときの仕訳は、次のとおりです。この取引では、「200,000円の現金が減った」という結果と、「200,000円の資産が増えた」という原因が説明されています。

	借方		貸方	
4/20	備　品	200,000	現　金	200,000

固定資産は使っている間に、その価値が目減りしていきます。この下がっていく価値を、決算のときに費用として計上していく処理が、減価償却です。つまり、購入時にいったん資産（上記の例では「備品」）として帳簿に記入した金額を、毎年少しずつ費用として計上して減らしていくわけです。コピー機のような資産は何年も会社の活動に役立つため、このように処理します。

ポイント　固定資産は、耐用年数が1年以上で、取得金額が10万円以上のもの。耐用年数が1年未満のものや、取得価額が10万円未満のものは、消耗品費として処理されます（053ページ参照）。

●減価償却費の計算方法

減価償却費の計算方法には、定額法と定率法があります。

定額法では毎年一定額の減価償却費を計上し、定率法では固定資産の残額に毎年一定の償却率をかけます。

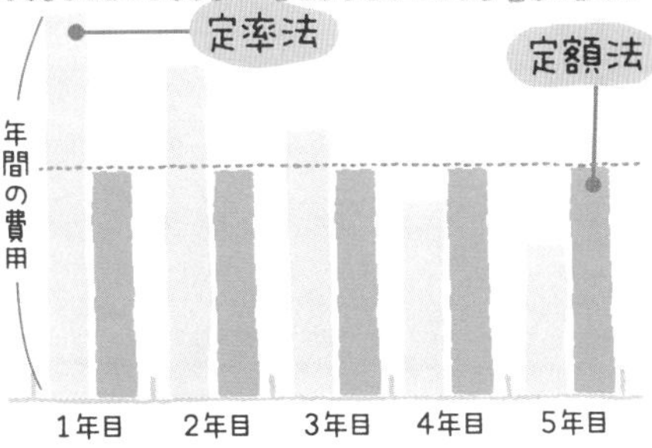

例）コピー機（耐用年数5年）を20万円で購入した場合

定額法

取得価額 200,000円 ÷ 耐用年数 5年 ＝ 1年間の減価償却費 40,000円

取得価額とは、購入時の金額のこと。耐用年数は、法律で決められた分割年数のことで、モノの物理的な寿命じゃないから注意してね！

KEY WORD

耐用年数とは？

固定資産が使用できると見積もった期間のこと。鉄筋鉄骨コンクリートの事務所は50年、普通自動車は6年、コピー機は5年、パソコンは4年などと法律で決められています。

定率法

帳簿価額（取得価額ー償却累計額） × 定率法償却率 ＝ 1年間の減価償却費

1年目	200,000円	× 0.400	＝	80,000円
2年目	（200,000円－80,000円）	× 0.400	＝	48,000円
3年目	（200,000円－128,000円）	× 0.400	＝	28,800円

↓

残額に毎年一定の償却率をかけて計上

注）期の途中で固定資産を購入した場合は、使った月数を12か月で割って費用にします。

●減価償却費の仕訳

減価償却の意味を理解したら、直接法と間接法という2つの方法で、減価償却費を仕訳してみましょう。ここで登場する勘定科目は、減価償却費と減価償却累計額です。

直接法 減価償却費という費用グループの勘定科目を使って、当期の減価償却費を借方に記入。帳簿上の価値を減らしたい資産グループの勘定科目を貸方に記入する方法です。

たとえば、パソコンに関して50,000円の減価償却費を計上した場合の初年度の仕訳は、次のとおりです。この取引では、「50,000円の減価償却費が発生した」という原因と、「50,000円の資産価値が減った」という結果が説明されています。

〔決算整理仕訳〕

	借方		貸方	
3/31	減価償却費	50,000	備　品	50,000

固定資産の勘定科目を記入します。クルマの場合は車両運搬具、事務所や店舗の場合は建物という勘定科目になります。

直接法では、資産の残高から減価償却費を直接減らしていくの。

[貸借対照表]

備品	150,000

貸借対照表に表される帳簿価額は、取得価額から減価償却費を引いた"現在の価値"です。

取得価額 200,000円 － 減価償却費 50,000円 ＝ 帳簿価額 150,000円

間接法 減価償却費という費用グループの勘定科目を使って、当期の減価償却費を借方に記入。貸方には資産グループの減価償却累計額を記入します。

この取引では、「50,000円の減価償却費が発生した」という原因と、「マイナスの資産として50,000円の減価償却累計額が生じた」という結果が説明されています。

〔決算整理仕訳〕

	借方		貸方	
3/31	減価償却費	50,000	減価償却累計額	50,000

固定資産の勘定科目は取得価額のまま維持されます。

間接法では、減価償却累計額という勘定科目を使って減価償却費を計上。資産残高は取得時の金額を維持していくの。

貸借対照表に表される帳簿価額は、取得価額です。“現在の価値”は、帳簿価額から減価償却累計額を引いて求めることができます。

〔貸借対照表〕

備品	200,000
減価償却累計額	△50,000

貸借対照表では、減価償却累計額をマイナスの金額にして借方に移動します。

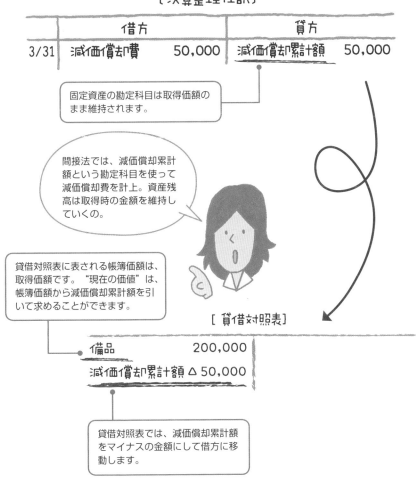

決算整理の仕訳④

収益と費用の整理

決算では、当期の収益や費用を正しく計算する必要があります。すでに記入されている当期の収益や支払いが次期の売上や費用になったり、決算の後に予定されている収益や支出が当期の売上や費用になる場合があるからです。このようなケースでは、経過勘定という特別な勘定科目を用います。

●経過勘定は4種類

収益や費用を正しく計算するために用いられる勘定科目（経過勘定）は、以下の4種類。具体的な仕訳をおぼえる前に、その意味をしっかり理解しておきましょう。

経過勘定とは、契約によって継続的に商品やサービスが提供されること、または提供することがはっきりしている事柄について、当期のものか次期のものかをきちんと分けるための勘定科目です。

勘定科目	当　期	決算日	次　期
前受収益（負債グループ）	受け取り 済	→	収益として計上
前払費用（資産グループ）	支払い 済	→	費用として計上
未収収益（資産グループ）	収益として計上	←	受け取りは決算日以降
未払費用（負債グループ）	費用として計上	←	支払いは決算日以降

えっと…
収益
費用
くわしい意味と使い方は次ページから……

①前受収益の仕訳

すでに受け取っている収益のうち、実際は次期以降の収益となる金額は、前受収益という勘定科目で処理します。

決算にあたり、すでに受け取っている家賃のうち、次期の分が90,000円あったときの仕訳は、次のとおりです。

〔決算整理仕訳〕

	借方		貸方	
3/31	受取家賃	90,000	前受収益	90,000

当期分ではない受取家賃を収益からのぞき、事前に受け取った金額を前受収益という負債として処理します。

〔期首の仕訳〕

	借方		貸方	
4/1	前受収益	90,000	受取家賃	90,000

次期の期首になったら、受取家賃を収益に計上。前期に計上した前受収益を借方に記入してゼロにします。

②前払費用の仕訳

すでに支払っている費用のうち、実際は次期以降の費用となる金額は、前払費用という勘定科目で処理します。

決算にあたり、すでに支払っている家賃のうち、次期の分が90,000円あったときの仕訳は、次のとおりです。

3月期決算の会社が、4月分の家賃を3月に支払ったケースです。

〔決算整理仕訳〕

	借方		貸方	
3/31	前払費用	90,000	支払家賃	90,000

次期に計上される支払家賃を費用からのぞき、事前に支払った金額を前払費用という資産として処理します。

〔期首の仕訳〕

	借方		貸方	
4/1	支払家賃	90,000	前払費用	90,000

次期の期首になったら、支払家賃を費用に計上。前期に計上した前払費用を貸方に記入してゼロにします。

③未収収益の仕訳

まだ受け取っていない収益でありながら、実際は当期分の収益となる金額は、未収収益という勘定科目で処理します。

決算にあたり、まだ受け取っていない当期分の利息30,000円を計上したときの仕訳は、次のとおりです。

〔決算整理仕訳〕

	借方		貸方	
3/31	未収収益	30,000	受取利息	30,000

当期分の受取利息を収益として計上。まだ受け取っていない金額を未収収益という資産として借方に記入します。

〔期首の仕訳〕

	借方		貸方	
4/10	普通預金	30,000	未収収益	30,000

利息を受け取ったら、借方に預金などの資産として計上。前期に計上した未収収益は、貸方に記入してゼロにします。

④未払費用の仕訳

まだ支払っていない費用でありながら、実際は当期分の費用となる金額は、未払費用という勘定科目で処理します。

決算にあたり、まだ支払っていない当期分の水道光熱費5,000円を計上したときの仕訳は、次のとおりです。

〔決算整理仕訳〕

	借方		貸方	
3/31	水道光熱費	5,000	未払費用	5,000

当期分の水道光熱費を費用として計上。まだ支払っていない金額を未払費用という負債として貸方に記入します。

〔期首の仕訳〕

	借方		貸方	
4/10	未払費用	5,000	普通預金	5,000

支払いが済んだら、前期に計上した未払費用を借方に記入してゼロにします。

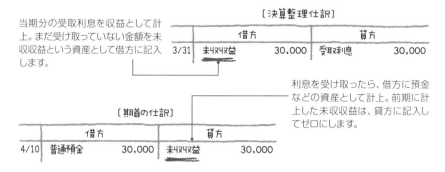

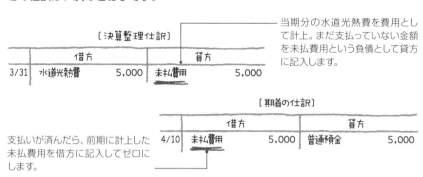

Topics

法人税と消費税の基礎知識

●法人税

税金は、個人だけが納めるものではなく、会社も払わなければなりません。この税金のことを法人税や法人住民税などといいます。

これらの税金の金額は、会社の利益をベースに計算されます。そのもととなるのが税引前当期純利益と呼ばれるものです（154ページ参照）。税引前当期純利益から税金を引いたものが、本当の当期純利益になります。

損益計算書上では、会社が納める法人税などの税金は、法人税等という費用グループの勘定科目で処理されます。ただし、本書では簿記や決算書をわかりやすくするため、法人税等などの税金については触れていません。

●消費税

消費税は間接税なので、最終的に消費者が負担します。会社は仕入や売上を行う際に、消費税を支払ったり、受け取ったりしますが、この消費税は収益や費用にはなりません。なぜなら、消費税は消費者が負担した税金を、一時的に預かっているにすぎないからです。受け取った消費税から、支払った消費税を差し引く仕入税額控除（124ページ参照）を行い、その差額を納めるしくみです。

消費税について税込処理を行っている場合は、8%と10%を分けて計算する必要があります。また、「インボイス発行事業者以外の人」に支払った消費税分も計算しなければなりません。これは税抜処理をしている会社も必要です。そのため、123ページや125ページで説明したように、帳簿に「※」や「★」の印をつけます。

税引前当期純利益から税金を引いたものが、当期純利益の本当の姿なんですね。
会社も税金を払わなければならないの。代表的なものに法人税や法人住民税、法人事業税があるの。消費税は一時的に預かっているだけよ。

KEY WORD

間接税と直接税	税金を納める義務がある者（納税者）と、実際に税金を負担する者が異なる税のことを間接税といいます。これに対し、法人税や法人住民税などは直接税といいます。

❸精算表とは？

精算表とは、決算書を作成するために利用する計算シート。パソコンの会計ソフトを使っていれば、精算表を作成する必要はありませんが、決算書をつくるまでの流れを知っておけば、簿記の理解がいっそう深まります。

1）試算表を用意する

以下に示すのは、決算書を作成するために用意した決算整理前の残高試算表です。この表をもとにして、精算表を作成してみましょう。

残高試算表は、借方と貸方の差額を計算して、各勘定科目の残高を集計したものでしたよね。

残高試算表

令和○年 3月 31日

借方残高	勘定科目	貸方残高
900,000	現　金	
1,300,000	普通預金	
900,000	売掛金	
50,000	繰越商品	
1,000,000	建　物	
	買掛金	450,000
	借入金	500,000
	資本金	3,000,000
	売　上	1,400,000
800,000	仕　入	
50,000	水道光熱費	
300,000	給　与	
50,000	通信費	
5,350,000	合　計	5,350,000

そのとおり！
決算書の作成はここからスタートするのよ。

2）残高試算表の勘定科目と金額を、精算表に記入する

精算表の残高試算表という欄に、残高試算表の勘定科目と金額を書き写します。

精算表

勘定科目	残高試算表		整理記入		損益精算書		貸借対照表	
	借方	貸方	借方	貸方	借方	貸方	借方	貸方
現　金	900,000							
普通預金	1,300,000							
売掛金	900,000							
繰越商品	50,000							
建　物	1,000,000							
買掛金		450,000						
借入金		500,000						
資本金		3,000,000						
売　上		1,400,000						
仕　入	800,000							
水道光熱費	50,000							
給　与	300,000							
通信費	50,000							
合　計	5,350,000	5,350,000						

なるほど。
精算表に書き写
していくのか…

3）決算整理をする

期末に行った決算整理の結果は、以下のとおりです。

棚卸と売上原価の確定

借方		貸方	
Ⓐ 仕　入	50,000	Ⓑ 繰越商品	50,000
Ⓑ 繰越商品	30,000	Ⓐ 仕　入	30,000

貸倒引当金の計上

借方		貸方	
Ⓒ 貸倒引当金繰入	40,000	Ⓒ 貸倒引当金	40,000

固定資産の減価償却

借方		貸方	
Ⓓ 減価償却費	100,000	Ⓓ 減価償却累計額	100,000

収益と費用の整理

借方		貸方	
Ⓔ 通信費	10,000	Ⓔ 未払費用	10,000

4）決算整理の結果を、精算表に記入する

決算整理の結果を、精算表の整理記入という欄に書き写します。

精算表

勘定科目	残高試算表		整理記入		損益精算書		貸借対照表	
	借方	貸方	借方	貸方	借方	貸方	借方	貸方
現　金	900,000							
普通預金	1,300,000							
売掛金	900,000							
Ⓑ 繰越商品	50,000		Ⓑ 30,000	Ⓑ 50,000				
建　物	1,000,000							
買掛金		450,000						
借入金		500,000						
資本金		3,000,000						
売　上		1,400,000						
Ⓐ 仕　入	800,000		Ⓐ 50,000	Ⓐ 30,000				
水道光熱費	50,000							
給　与	300,000							
Ⓔ 通信費	50,000		Ⓔ 10,000					
Ⓒ 貸倒引当金				Ⓒ 40,000				
Ⓒ 貸倒引当金繰入			Ⓒ 40,000					
Ⓓ 減価償却費			Ⓓ 100,000					
Ⓓ 減価償却累計額				Ⓓ 100,000				
Ⓔ 未払費用				Ⓔ 10,000				
合　計	5,350,000	5,350,000						

新しい勘定科目は、表の下のほうに書き足すのよ。

貸倒引当金や減価償却費など、決算整理ではじめて出てきた勘定科目は、どこに記入するんですか？

5）精算書の損益計算書と貸借対照表の欄を埋める

残高試算表の欄と整理記入の欄を合計して、損益計算書と貸借対照表の欄を埋めます。

計算では、借方同士や貸方同士を足します。借方と貸方の双方に金額がある場合は、差額を求めて、金額が大きいほうの欄に記入します。

精算表

勘定科目	残高試算表		整理記入		損益精算書		貸借対照表	
	借方	貸方	借方	貸方	借方	貸方	借方	貸方
現　金	900,000						900,000	
普通預金	1,300,000						1,300,000	
売掛金	900,000						900,000	
繰越商品	50,000		30,000	50,000			30, 000	
建　物	1,000,000						1,000,000	
買掛金		450,000						450,000
借入金		500,000						500,000
資本金		3,000,000						3,000,000
売　上		1,400,000				1,400,000		
仕　入	800,000		50,000	30,000	820,000			
水道光熱費	50,000				50,000			
給　与	300,000				300,000			
通信費	50,000		10,000		60,000			
貸倒引当金				40,000				40,000
貸倒引当金繰入			40,000		40,000			
減価償却費			100,000		100,000			
減価償却累計額				100,000				100,000
未払費用				10,000				10,000
合　計	5,350,000	5,350,000	230,000	230,000				

収益と費用のグループに属する勘定科目は、損益計算書の欄に記入します。

資産、負債、純資産のグループに属する勘定科目は、貸借対照表の欄に記入します。

6）当期純利益を計算して、合計金額を一致させる

ここまでの処理だけでは、損益計算書の欄も貸借対照表の欄も、借方と貸方の合計金額が一致しません。そこで、収益と費用の差額を当期純利益（または当期純損失）として借方（または貸方）に記入して、損益計算書の欄の借方と貸方の合計金額を一致させます。同様に、貸借対照表の欄にも同じ金額を記入して、こちらも借方と貸方の金額を同じにします。

完成！

精算表

勘定科目	残高試算表		整理記入		損益精算書		貸借対照表	
	借方	貸方	借方	貸方	借方	貸方	借方	貸方
現　金	900,000						900,000	
普通預金	1,300,000						1,300,000	
売掛金	900,000						900,000	
繰越商品	50,000		30,000	50,000			30, 000	
建　物	1,000,000						1,000,000	
買掛金		450,000						450,000
借入金		500,000						500,000
資本金		3,000,000						3,000,000
売　上		1,400,000				1,400,000		
仕　入	800,000		50,000	30,000	820,000			
水道光熱費	50,000				50,000			
給　与	300,000				300,000			
通信費	50,000		10,000		60,000			
貸倒引当金				40,000				40,000
貸倒引当金繰入			40,000		40,000			
減価償却費			100,000		100,000			
減価償却累計額				100,000				100,000
未払費用				10,000				10,000
当期純利益					30,000			30,000
合　計	5,350,000	5,350,000	230,000	230,000	1,400,000	1,400,000	4,130,000	4,130,000

損益計算書の貸方の合計額が、借方よりも多いということは、「費用＜収益」ということ。その場合は、差額を当期純利益として借方に記入して左右の合計を一致させます。「費用＞収益」のときは、差額を当期純損失として貸方に記入します。

費用の合計 1,370,000 ＜ **収益の合計** 1,400,000　**差額＝当期純利益** ………… 30,000

貸借対照表の貸方にも同じ金額を記入。

注）当期純利益は、実際には法人税等を差し引いた税引後の利益となります。

❹損益計算書と貸借対照表

精算表が完成したら、決算に必要な損益計算書と貸借対照表は完成したも同然です。精算表の損益計算書の欄と貸借対照表の欄を切り離せば、外部報告用の損益計算書と貸借対照表を作成することができます。なお、損益計算書には、勘定式と報告式の2つの様式があります。

損益計算書（勘定式）を作成する

151ページで完成させた精算表から、次のような損益計算書をつくることができます。費用グループの勘定科目と当期純利益は借方に、収益グループの勘定科目は貸方に記入します。

勘定科目の仕入と売上のみ名称が変わります

仕入 → 売上原価　　売上 → 売上高

損益計算書

令和○年 4月 1日～令和○年 3月 31日

費　用	金　額	収　益	金　額
売上原価	820,000	売上高	1,400,000
水道光熱費	50,000		
給　与	300,000		
通信費	60,000		
減価償却費	100,000		
貸倒引当金繰入	40,000		
当期純利益	30,000		
	1,400,000		1,400,000

※実際に会社で使用されることが多い報告式の損益計算書は、154ページ参照。

貸借対照表を作成する

151ページで完成させた精算表から、次のような貸借対照表をつくることができます。資産グループの勘定科目は借方に、負債グループと純資産グループの勘定科目は貸方に記入します。

貸借対照表では、繰越商品を商品と書きかえます。
繰越商品 → 商　品

貸借対照表

令和○年 3 月 31 日

資産の部	金　額	負債の部	金　額
現　金	900,000	買掛金	450,000
普通預金	1,300,000	借入金	500,000
売掛金	900,000	未払費用	10,000
貸倒引当金	△40,000		
商　品	30,000	純資産の部	金　額
建　物	1,000,000	資本金	3,000,000
減価償却累計額	△100,000	当期純利益	30,000
	3,990,000		3,990,000

減価償却累計額と貸倒引当金は、金額をマイナスにして「資産の部」に入ります。それによって貸借対照表の左右の合計金額は、精算表の数字と変わってきます。

014ページで説明した簿記のゴールがコレよ！
損益計算書
費用
当期純利益
収益
貸借対照表
資産
負債
純資産

TOPICS

実際の損益計算書（報告式）

会社が決算で実際に使用する損益計算書は、収益と費用を借方と貸方に分けない報告式というスタイルをとるのが一般的です。

報告式では、すべての項目が上から順番に並び、いちばん下に当期純利益が表されます。簿記の知識がなくても、ここを見るだけで、会社がいくらもうかったかがわかるわけです。

また、報告式の損益計算書では、収益と費用がさらに細かく分けられます。分類のしかたや名称は、会社によって多少異なりますが、一般的には以下のような形になります。

損益計算書
令和○年 4月1日～令和○年 3月31日

収益	売上高	○○○,○○○
費用	売上原価	○○○,○○○
	売上総利益	○○○,○○○
費用	販売費及び一般管理費	○○○,○○○
	営業利益	○○○,○○○
収益	営業外収益	○○○,○○○
費用	営業外費用	○○○,○○○
	経常利益	○○○,○○○
収益	特別利益	○○○,○○○
費用	特別損失	○○○,○○○
	税引前当期純利益	○○○,○○○
費用	法人税等	○○○,○○○
	当期純利益	○○○,○○○

売上総利益（134ページ参照）＝売上高－売上原価

給与、水道光熱費、通信費、減価償却費、広告宣伝費など

営業利益（本業の利益）＝売上総利益－販売費及び一般管理費

受取利息、受取配当金、雑収入など

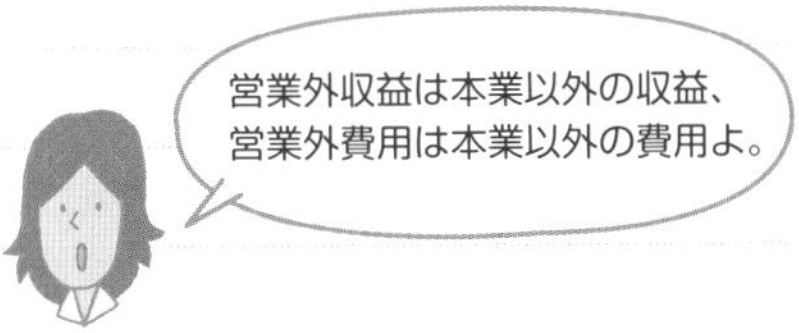
営業外収益は本業以外の収益、
営業外費用は本業以外の費用よ。

支払利息、雑損失など

経常利益（会社が通常の活動であげる利益）＝営業利益＋営業外収益－営業外費用

固定資産売却益など

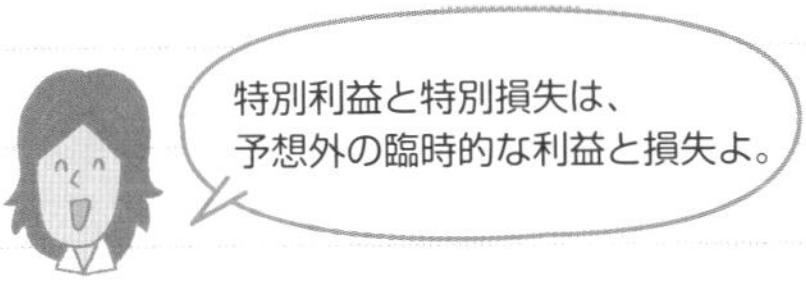
特別利益と特別損失は、
予想外の臨時的な利益と損失よ。

固定資産売却損など

税引前当期純利益（税引前の利益）＝経常利益＋特別利益－特別損失

＝法人税、法人住民税、法人事業税

当期純利益（税引後の利益）＝税引前当期純利益－法人税等

KEY WORD

アラリ、ケイツネ、ハンカンヒって何？

一般的に、売上総利益は「アラリ（＝粗利益の略）」、経常利益は「ケイツネ」、販売費及び一般管理費は「ハンカンヒ」などと略して呼ばれることがあるので、おぼえておきましょう。

実際の貸借対照表

貸借対照表は、負債のようなマイナスの財産をふくめた、会社の財産の一覧表です。資産が一覧になっている「資産の部」、負債の一覧の「負債の部」、純資産の一覧の「純資産の部」に分かれています。

貸借対照表の資産の部は、流動資産、固定資産、繰延資産という3つのグループに分けられています。これらのグループは、お金になりやすい順番で上から並んでいて、さらにそのグループの中でも、勘定科目が同様の順番で並んでいます。

負債の部は、流動負債と固定負債の2つのグループ分かれ、グループの中では勘定科目が、支払期日が近い順番で上から並んでいます。

純資産の部は、資本金などをはじめ、返す必要のないお金のグループです。

貸借対照表
令和○年 3月31日

（資産の部）		（負債の部）	
流動資産	000,000	流動負債	000,000
		固定負債	000,000
固定資産	000,000	負債合計	000,000
		（純資産の部）	
繰延資産	000,000	株主資本	000,000
		純資産合計	000,000
資産合計	000,000	負債・純資産合計	000,000

資産の部……プラスの資産の一覧です。

流動資産
早くお金にかわる資産（債権）。現金、普通預金、売掛金、棚卸資産など、早くお金にかわる（流動性の高い）ものが上から順に並んでいます。

固定資産
お金にかえるのに時間がかかる資産（債権）。建物や車両運搬具、備品などの「有形固定資産」と、商標権やソフトウエアなどの「無形固定資産」、投資有価証券などの「投資等その他資産」があります。

繰延資産
基本的にお金にならない資産です。

負債の部……マイナスの資産の一覧です。

流動負債
1年以内に返さなければならない負債（債務）。買掛金、短期借入金、預り金のように、早く返さなければならない（流動性の高い）ものが順に並んでいます。

固定負債
1年を超えた期日に返さなければならない負債（債務）。代表的なものに長期借入金があります。

純資産の部……株主資本（資本金、資本準備金）のように返さなくていいお金です。

上からお金になりやすい（または早く返す必要がある）順に並んでいるのよ。

INDEX 【50音索引】

※くわしく解説しているページは、**太字**で表しています。

●あ行

●か行

●さ行

●た行

●は行

●ま行

●や行

●ら行

監修者：宇田川 敏正（うたがわ・としまさ）

宇田川税理士事務所所長（東京都港区新橋）。
港パートナーズLLP代表パートナー。
税理士、AFP（アフィリエイテッド・ファイナンシャル・プランナー）、登録政治資金監査人。
大学卒業後、大手ゼネコン（総合建設業）に入社し、建築・土木の各工事現場の工事事務全般（経理・労務等）を担当。
平成13年、税理士として独立開業。クライアントは、個人事業者から上場企業まで多岐に渡り、誰にでもわかりやすく、納得のいく税務・会計指導を行っている。具体的には、クライアントに対して、適正な月次決算体制の構築を行い、①経営計画の策定支援（PLAN）、②計画に沿った経営活動（DO）、③月次巡回監査による検証（CHECK）、④決算対策などの対策（ACTION）のPDCAサイクルの定着を支援していくことで、企業の永続的発展を目指して活動を行っている。
平成24年11月、中小企業経営力強化支援法に基づく経営革新等支援機関に認定。
監修書に『経理の教科書1年生』『個人事業の教科書1年生』『図解わかる 個人事業の始め方』『ざっくりわかる簿記の本』（すべて新星出版社）などがある。

改訂3版　簿記の教科書 1年生

2024年12月15日　初版発行

監修者　宇田川敏正
発行者　富永靖弘
印刷所　株式会社高山

発行所　東京都台東区台東2丁目24　株式会社 新星出版社
〒110－0016　☎03(3831)0743

ISBN978-4-405-10451-8